人生三修

修心 修性 修行

吉家乐等 ╲ 编著

中国华侨出版社

北 京

前　言

　　生活中，我们常常为境遇所苦，为得失所累，为名利所惑，为喧嚣所扰；在顺境中迷失，在困境里彷徨；失去了就抱怨，得到了却不知足；穷困时不知如何自处，富有时被烦恼缠身，总是不得解脱。要解决这些问题，我们需要学会修心、修性、修行。

　　房间需要经常打扫，不然就会很快落满灰尘，人的心灵也是如此。那些看不见、摸不着、感觉不到的心尘，唯有靠自我修炼才能使心灵时时保持洁净、澄澈。修心就是净化内心的过程：消除烦恼，留下欢乐；赶走悲伤，留下坚强。脱离金钱、名利、权位的束缚，让自己的心灵更有力量去承受和面对这世间种种的坎坷和磨难。静下心来，时时自省，让从容和淡然在体内散开，让我们的心灵永远向善、向美、澄澈安宁。如此，人生的幸福也将依次在我们眼前展现。

　　修心，让每个人都能执一盏灯，驱散内心的黑暗与迷茫，在疲惫中找到安心之所，在忙碌中找到定心之处，在喧嚣的世界里找到静心之地。

　　修性，不是让你不屑一切，只是使你少了份热烈，多了份稳重；不是无所求，庸碌一生，而是放下妄想与执着；不是看破红尘、不思进取，而是经过岁月磨砺后看淡世俗名利。保持坦然愉快的心情，强大自己的内心，在每天结束的时候看到一个新我，拥有一个超然的人生。

人生就是一次修行，在经历了挫折和磨难的考验之后，总能在逆境中，找寻到前行的方向，不断地提升修为，增强自控能力，拥有智慧的头脑、强有力的行动和钢铁般坚强的意志。于简单中活出丰富，于苍白处增添斑斓的色彩。

本书逻辑缜密、符合实际，富有现实的指导意义，将道理与故事相结合，文字灵动而深刻，句句触动人心，帮助读者找到自身问题的所在，调整心态，调整看问题的角度，最终摆脱烦恼和痛苦的困惑，活出属于自己的幸福和快乐。

行走在喧嚣人世，修心、修性、修行，给自己修一条宽广的人生大道，在风雨得失中昂起头颅，在悲喜的大潮中挺直脊背，接受人生的各种挑战，忍受住各种突如其来的磨难和苦厄，在一点一滴的积累中逐渐让自己强大起来，在人生的赛场上成为笑到最后的人。

目 录

修 心

修 性

修　行

修心

第一章

观心：修好心才能转好运

踏踏实实，保持真实的自己

"木末芙蓉花，山中发红萼，涧户寂无人，纷纷开且落。"这是王维的一首诗，名叫《辛夷坞》。这首诗写的是在辛夷坞这个幽深的山谷里，辛夷花自开自落，平淡得很，既没有生的喜悦，也没有死的悲哀。无情有性，辛夷花得之于自然，又回归自然。它不需要赞美，也不需要人们对它的凋谢洒同情之泪，它把自己生命的美丽发挥到了极致。

众生平等，没有高低贵贱，每个个体都自在自足，自性自然圆满。《占察善恶业报经》有云："如来法身自性不空，有真实体，具足无量清净功业，从无始世来自然圆满，非修非作，乃至一切众生身中亦皆具足，不变不异，无增无减。"一个人如果能体察到自身不增不减的天赋，就能在世间拥有精彩和圆满。

我们常常会有这样的感觉，远处的风景都被笼罩在薄雾或尘埃之下，越是走近就越是朦胧；心里的念头被围困在重峦叠嶂之中，越是急于走出迷阵就越是辨不清方向。这是因为我们过多地执着于思维，而忽视了自性。佛祖曾经讲过一个故事，教导我们认识自性。

一位富人有四位妻子：第一个妻子活泼可爱，在富人身边寸步不离；第二个妻子是富人抢来的，倾国倾城却不苟言笑；第三个妻子整天忙于打理富人的琐碎生活，把家中大小事务管理得井然有序；第四个妻子终日东奔西跑，富人甚至忘记了她的存在。

富人生病即将去世，他把四位妻子叫到床前，问她们："平日里你们都说爱我，我就要死了，谁愿意陪我一起去阴间呢？"

第一个妻子说："你自己去吧，以前一直都是我陪在你身边，现在该换她们了。"

第二个妻子说："我是迫于无奈才嫁你为妻的，活着的时候都不情愿，更不要说陪你赴死！"

第三个妻子说："虽然我很爱你，但是我已经习惯了安逸稳定的生活，不愿意陪你去过风餐露宿、衣食无着的日子。"

富人非常伤心，他近乎绝望地看着第四个妻子。

第四个妻子说："既然我是你的妻子，无论你到哪里我都会陪在你身边。"

富人心中一惊，既感动又愧疚地看着第四个妻子，含笑去世。

佛祖解释说："其实这位富人就是芸芸众生中的一位，四位妻子则代表每个人活着的时候所拥有的东西。第一位妻子指的是你们的肉体，生来不可剥离，死时却注定要分开；第二位妻子指的是你们的金钱，生不带来，死不带去；第三位妻子指的是你们的妻子，活着的时候相敬如宾、举案齐眉，死的时候仍然要分道扬镳；第四位妻子指的是你们的自性，人们常常忘记了她的存在，而她却永远陪伴着你。"

每个人都有自性，也就是自己的本心，生而相随，死而相伴，不能抛却。然而，并不是所有人都能体察自性，于是很多人随波逐流，丧失自我。我们常常需要他人的赞美才能前行，一旦受打击就会停滞不前。要做到像辛夷花一样平淡地自开自落并不容易，但如果明了自己的本心，并坚信执守，就不会被他人的态度左右。

我们无法改变别人的看法，但可以保持一个真实的自己。想要讨好每个人是愚蠢的，也没有必要，与其把精力花在别人身上，还不如用尽全力踏踏实实做人、兢兢业业做事。改变别人的看法是很难的，做好自己却是容易的，如果一个人能保持自我生命的圆满，修一颗笃定的本心，就能把生命的精彩发挥到极致。

主动孤独，沉淀一切烦恼

有的人生性好静，懒于在灯红酒绿、尔虞我诈的社交场合敷衍应酬，闲暇时更愿意结伴于青灯古卷，品茗读书，抑或独自远行，涉足山川沃野。但是，更多的人害怕孤独，无论是独自垂钓的宁静和淡泊，还是众人皆醉我独醒的超然，于他们而言，都是不堪忍受的折磨。

孤独的形式分为四种：

第一种是"主动的孤独"，就是为了修行而主动创造一个与他人隔绝的环境，无论打坐诵经，还是读书写作，都完全不受外界的干扰，只留下一颗求知之心。

第二种是"被动的孤独"，可以理解为情感上的孤独，是一个人从内心深处感受到的寂寞，或被团体成员所排斥时，即使身在团体之中依然能感觉到的孤独。

第三种是"思想的孤独"，当一个人的观点不为他人所接受，思想得不到他人认可时，就会感受到精神上的孤立无援。

第四种是"权势的孤独"，高处不胜寒的感受是大多数身居高位的人所共有的。

孤独的形式有所不同，但孤独的味道每个人都品尝过。下面这个故事中的修行者，就是一个切身体会到孤独并为此痛苦的人。

在一次禅七（禅宗的参禅方法，以七日为期坐禅修行）中，一位修行者突然哭了起来。圣严法师问他为何哭泣，他回答："生活在世界上的孤独感让我害怕。"

圣严法师说："难道你不知道每个人都是独自来到这个世界，最后也独自离开吗？"

修行者说知道，但是仍然害怕。

圣严法师问："那么在禅七修行中你还害怕吗？"

他说不怕，但是一回到日常生活中，由孤独而生的恐惧与不安就会再度袭来。

这个修行者所体验到的更多是情感上的孤独，情感无所寄托让他感到茫然和痛苦。在现实生活中，孤独是不可避免的，但是我们可以改变面对孤独的态度。事实上，孤独是修行与生活中都必不可少的状态，尤其对于真正有心修行的人来说，热闹的场合固然可以参与，但更应该适应孤独的情境，并且要能够出于自愿随时置身于孤独之中，追求"主动的孤独"。

一位禅宗大师曾闭关修行多年，在闭关之前，一位年老的居士前来拜访，并问他："你想成为什么样的和尚？"禅师并未做出明确的回答，这就像无法预计陶器经过炉火的烧烤会变成什么样子。孤独的修行与学习就像陶器烧制的过程一样，痛苦在所难免，但能使人得到提升。

一个人独处时，最好的知音是自己，最大的敌人也是自己。对于修佛之人而言，倘若一个人的修行功夫不够深，就很容易被自己的妄念左右。对于普通人来说更是如此，在孤独的环境中，若不能踏踏实实地潜心学习，就可能迷失在自己所设的迷障中。

孤独固然令人痛苦，但能让人变得更加坚强、更加成熟。"主动的孤独"更是如此，无论是修行，还是日常的学习，孤独的环境都能够让人获得平静的心态和静谧的氛围，不容易受到外界杂务琐事的干扰。在孤独的环境中，人最好的知音就是自己，通过"主动的孤独"，平静地面对自己，调理身心，思考生命。当人处于孤独之中时，一切烦恼和牵挂都沉淀下来，这样他会更容易看见自己的内心深处，更容易在内心深处找到自我，了解自己。只有真正了解自己，才能在现实生活中找到适合自己的人生方向，并努力贯彻，坚持到底。

自省的力量

自省，就是自我反省、自我检查，自知己短，从而弥补短处、纠正过失。佛陀强调自觉觉他，强调以达到觉行圆满为修行的最高境界。要改正错误，除了虚心接受他人意见之外，还要不忘时时观照己身。自省自悟之道，可以使人在不断的自我反省中达到水一样的境界，在至柔之中发挥至刚至净的威力，具有广阔的胸襟和气度。

"知人者智，自知者明。"观水自照，可知自身得失。人生在世，若能时刻自省，还有什么痛苦、烦恼是不能排遣、摆脱的呢？佛说："大海不容死尸。"水性是至洁的，表面藏垢纳污，实质水净沙明，至净至刚，不为外物所染。

古代，一位官员被革职遣返，心中苦闷无处排解，便来到一位禅师的法堂。禅师静静地听完了此人的倾诉，将他带入自己的禅房之中。禅师指着桌上的一瓶水，微笑着对官员说："你看这瓶水，它已经放置在这里许久了，每天都有尘埃、灰烬落在里面，但它依然澄清透明。你知道这是何故吗？"官员思索了良久，似有所悟："所有的灰尘都沉淀到瓶底了。"

禅师点了点头，说道："世间烦恼之事数之不尽，有些事越想忘掉却越挥之不去，那就索性记住它好了。就像瓶中水，如果你不停地振荡它，就会使整瓶水都不得安宁，混浊一片；如果你愿意慢慢地、静静地让它们沉淀下来，用宽广的胸怀容纳它们，那么心灵不但并未因此受到污染，反而更加纯净。"官员恍然大悟。

观水学做人，时常自省，便能和光同尘，愈深邃愈安静；便能至柔而有骨，执着而穿石，以"天下之至柔，驰骋天下之至坚"。时常自省，便能灵活处世，不拘泥于形式，因时而变，因势而变，因器而变，因机而动，生机无限；时常自省，便能清澈透明，纤尘不染；时常自省，便能润泽万物，有容乃大，通达而广济天下，奉献而不图回报。

古人说："以铜为镜，可以正衣冠；以史为镜，可以知兴替；以人为镜，可以明得失。"如果没有自省的态度，那么，即使明镜摆在面前，也是视若无睹，何谈正衣冠、知兴替、明得失呢？

佛陀为了说明自省过失的重要性，作了一个比喻，记载于《百喻经》中。

有一个村庄的人合伙偷得了一头牛，并将它宰杀后分食。失牛的人追踪到村子里，问村人："我的牛在你们村庄里吗？"

偷牛的村人答："我们没有村庄。"

失牛人问："池边不是有棵树吗？"

村人答："没有树。"

失牛的人又问："你们是不是在村庄的东边偷牛？"

村人仍旧回答："没有'东边'。"

失牛的人再问："你们是不是在正午偷牛？"

村人还是回答："并没有'正午'。"

于是，失牛的人说："没有村庄，没有池塘，没有树还算合理，可是天底下怎会没有东边，没有正午呢？所以你们一直在说谎，牛一定是你们偷的。"

那些村人再也无法抵赖，只好承认。

佛陀用这个故事来比喻那些犯了戒条却极力隐藏，不肯自省忏悔，改过迁善的人，他们总是用一个谎言来掩盖另一个谎言，最终无法掩盖其罪。只有勇于承认自己的过失，恳切地发出忏悔，才能走上光明的大道。

人人都犯过错误，但很少有人能自省，因为自省是一次自我解剖的痛苦过程，好比一个人拿起刀亲手割掉身上的毒瘤，需要巨大的勇气。认识到自己的错误或许不难，而用一颗坦诚的心灵面对它，却不是一件容易的事。懂得自省，是大智；敢于自省，则是大勇。割毒瘤可能会有难忍的疼痛，也会留下疤痕，却是根除病毒的唯一方法。只要"坦荡胸怀对日月"，心地光明磊落，自省的勇气就会倍增。

自省是道德完善的重要方法，是治愈错误的良药，它能给混沌的心灵带来一缕光芒。在我们迷路时，在掉进了罪恶的深渊时，在灵魂被扭曲时，在自以为是、沾沾自喜时，自省就像一道清泉，将思想里的浅薄、浮躁、消沉、自满、狂傲等污垢荡涤干净，重现清新、昂扬、雄浑和高雅，让生命重放异彩、生机勃勃。

有约束，才不会走错路

俗话说，"没有规矩，不能成方圆"，世间万事万物都受到一定的约束，没有事物拥有绝对的自由，只有不同约束条件下的相对自由。

约束和自由并非绝对，而是相对的。有了约束才会有自由，因为自由存在的前提是束缚，没有道德、法律上的约束和规定，或者各种人为的规则和要求，自由就无从谈起；另外，没有自由，约束也就失去了其意义和作用。

不仅是人，自然界里的其他生物亦如此。"大鱼吃小鱼，小鱼吃虾米"这句话，阐述的是生物链，而生物链就是自然界中自由与约束的关系。没有一种生物是没有天敌的，它们在和同类生活的同时，也要提防天敌的袭击。假设哪天狮子不吃羊了，豹不食兔子了，所有动物都安乐地繁殖，那么终有一天，世界上的动物会越来越多，那么除了"人口危机"外，还会出现"动物危机"，到时候动物们是不是也需要找一个星球来移居呢？

人与动物最根本的区别在于，人有一种非凡的能力，那便是自我约束。自我约束就是自律，是人生很重要也很难得的品德，也是一个人修养的体现。一个声誉良好的人总是能使自律成为习惯，正因为自律，他的品行才能经受住多种考验。而只要一时的忽视，就可能前功尽弃，使数年名声化为流水。

这天，刚刚做完日常佛事，僧侣们正要走出禅房时，方丈守心法师扬手碰落了供台上的一个瓷瓶，瓷瓶摔得粉碎。众弟子一下愣在那里，不知方丈这一举动是有意为之，还是无意所致。守心法师见学僧都以探询的眼光看着自己，便语气凝重地说："一泥土，不知经历了多少工序，经过了多长时间的煅烧，才超脱成珍贵的瓷瓶，被我们摆上神圣的供桌，成为一件高贵圣洁的法器。如果保存好了，千百年都不会损坏，可以万世流传。可是，扬手之间，它就坠落于地，一文不值了。同理，一个人，尤其是敏德修行的僧人，取得了法号，悟出了境界，不是件易事，若不珍惜、不自律，堕落起来便与瓷瓶无异！"僧侣们都默默无语，有些人忽然有所顿悟，合掌跪地，深表忏悔。

正如守心法师所言，人若不珍惜、不自律，堕落起来便与坠地的瓷瓶一样，一文不值。名声品行积累起来不容易，但挥霍一空只是眨眼之间，令人痛惜，所以古人总是强调谨小慎微、善始善终。

约束看似抽象，但事实上，世界万物都是由它构成的。河床是河流的约束，如果河流没有了河床的约束，那么它将泛滥成灾；轨道是火车的约束，如果火车失去了轨道，那么它将无法行驶；土壤是植物的约束，如果植物离开了土壤，那么它将不能生存。道德与理智是人的约束，如果人失去了理智，没有了道德与规定的约束，那么这个世界将一片狼藉，也就不会有今天的文明了。

约束是必要的，对人对事物具有促进的作用。放任自由将导致泛滥成灾，只有约束才能成就秩序、成就和谐、成就圆满。生活中唯有学会自律，学会自我控制和自我约束，修炼一颗坚毅守矩的心，才能拥有坚强的意志，成就美好人生。

心不动，荣辱皆安定

"不动心"是一个人修养和定力的体现，若一个人心无定力，就会被外界环境左右，随外界的境遇而动摇。佛家认为，心是一切的基础，一个人如果想要真正入定，必须先从修心开始。修心即是净心，心灵不随外物而转，就能达到心智的自由。

五色幡升空时迎风飘动，一僧说是幡动，一僧说是风动，六祖惠能从旁边经过，笑谈，既非风动，也非幡动，乃二僧心动。

风动、幡动，都不过是外境的变迁，不动心，才能真正认清自我，保持内心的安宁。

人们想要净心时，往往习惯于用理性去控制，但这样做很可能适得其反。虽然在不断告诉自己"不能动心，不能动心"，其实这个时候心已经在动了；提醒自己"心不能随境转"，这个时候心已经转了。真正的净心不是刻意控制，也不是刻意把握它。什么时候都知道自己的心，心自然而然就不因外在环境而波动。心不动了，人就不会为外界的诱惑所动，从而可以净化自身。

仰山禅师有一次请示洪恩禅师："为什么吾人不能很快地认识自己？"

洪恩禅师回答："我给你说个譬喻，如一室有六窗，室内有一猕猴，蹦跳不停，另有五只猕猴从东西南北窗边追逐猩猩。猩猩回应，如是六窗，俱唤俱应。六只猕猴，六只猩猩，不容易很快认出哪一个是自己。"

仰山禅师听后，知道洪恩禅师是说吾人内在的六识（眼、耳、鼻、舌、身、意）和追逐外境的六尘（色、声、香、味、触、法），鼓噪繁动，彼此纠缠不清，如空中金星蜉蝣不停，如此怎能很快认识哪一个是真的自己？因此便起而礼谢道：

"适蒙和尚以譬喻开示，无不了知，如果内在的猕猴睡觉，外境的猩猩欲与它相见，且又如何？"

洪恩禅师便下绳床，拉着仰山禅师，手舞足蹈似的说道：

"好比在田地里，防止鸟雀偷吃禾苗的果实，竖一个稻草假人，所谓'犹如木人看花鸟，何妨万物假围绕'？"

仰山终于言下契入（在言语中体会佛法真意）。

人之所以难以认清自己，是因为真心蒙尘，就像一面镜子，被灰尘遮盖，就不能清晰地映照出物体的形貌。真心不显，妄心就会占据人心，时时刻刻攀缘外境，心猿意马，不肯休息。

不识本心，内心不定，心就会随物转；倘若能了知自己的心，动静如一，那么万象万物都可以随心而转。净心才能入定，从而摆脱外物的牵绊；心不因外物而动才能真正认清自己，遇到顺境不动，遇到逆境也不动，不受任何外在的影响。"心不在焉，视而不见，听而不闻，食而不知其味"，不管世间如何变化，在心静的人看来，都是一样。

可是，大部分时候我们的心不但无法静定，无法转物，还常常随着外境的变动团团转。心灵之所以做不了主，是因为世间诱惑太大，我们容易被虚名所惑，被虚利所迷，无法摆脱欲望的纠缠。

人们常常有一种随波逐流的从众心理，做事的动机往往不是那么明确，看到别人怎么做自己也怎么做，而不是按照自己的主观意愿去行动，尤其是在通往成功、幸福、快乐的道路上，一切似乎已经有了约定俗成的标准。

俗话说："众口铄金，积毁销骨。"能在多数人的否定中肯定自我的人是具有大智慧的人，也是能走向成功的人。能够在多数人的打击中昂然挺立，坚持自己的判断，不为外物所动，这样的人一定能有所成就。只要心中澄澈清明，就不会被欲望牵制。

在喧嚣处，修得暇满身

真正的清闲应是身处繁华世间，心中能不生浮躁，不起烦恼，拥有一颗无分别的心，从容面对任何境遇。

人们生活在喧嚣之中，不仅环境的喧嚣无处不在，内心深处不息的追逐和欲望带来的喧嚣，也令人不得安宁。人们或许可以回归大自然，寻找片刻的宁静，然而大多数时候，人们身陷凡尘，无法平复内心的欲求和骚动，因为不懂得在喧嚣处为自己留一份清静。

历史上，许多得道禅师远离世俗，独自在佛法中寻得了内心的宁静，这份宁静，使他们曾经孤单的内心绽放出芬芳的莲花，荒凉如沙漠的灵魂注入一股清泉。他们孤单，但并不寂寞，内心感到的只是清净。这份清净，使他们能听到落叶的声音，明白时光的絮语。

有的人可能认为清静是一种难耐的寂寞，但在禅师们的心中，清净是生活中难能可贵的境界。

赵州禅师问新来的僧人："你来过这里吗？"

僧人答："来过！"

赵州禅师便对他说："吃茶去！"

又问另一个僧人："你来过这里吗？"

僧人答："没有。"

赵州禅师也对他说："吃茶去！"

在一旁的院主奇怪地问："怎么来过的叫他去吃茶，没有来过的也叫他去吃茶呢？"

赵州禅师就叫："院主！"院主答应了一声，赵州禅师对他说："走，吃茶去！"

心若清净，才能有心思吃茶，才能品味出茶的清香。一个想得太多的人，心灵如同投进石子的湖面，失去了原来的平静。偶尔如此没有关系，若常常如此，心湖没有静止的时候，人们便永远体会不到安宁。内心清净的人，不会想太多，亦不会要求太多，就像母体中的婴儿，处于一种无可无不可的快乐无忧的境界。

心若清净，凡事简单，如此，才能尽享生命的清闲之福。暇满之身就是健康有闲，可世界上的人有清闲不肯享受，有好身体要去消耗掉，而且真到了清闲暇满，自己反而悲哀起来。这类人内心是喧嚣的，他们不知道清净的重要，不懂清闲的滋味。

真正的清闲应是身处繁华世间，心中能不生浮躁，不起烦恼，拥有一颗无分别的心，从容面对任何境遇。

唐朝时，有一位懒瓒禅师隐居在湖南南岳衡山的一个山洞中，他曾写下一首诗，表达他的心境：

世事悠悠，不如山岳，卧藤萝下，块石枕头；

不朝天子，岂羡王侯？生死无虑，更复何忧？

这首诗传到唐德宗的耳中，德宗心想，这首诗写得如此洒脱，作者一定也是一位洒脱飘逸的人物吧！应该见一见！于是就派大臣去迎请懒瓒禅师。

大臣拿着圣旨东寻西问，总算找到了懒瓒禅师所住的岩洞。见到懒瓒禅师时，正好瞧见禅师在洞中生火做饭。大臣便在洞口大声说道："圣旨驾到，赶快下跪接旨！"洞中的懒瓒禅师却毫不理睬。

大臣探头一瞧，只见懒瓒禅师以牛粪生火，炉上烧的是地瓜，火愈烧愈炽，整个洞中烟雾弥漫，熏得懒瓒禅师鼻涕纵横，眼泪直流。大臣忍不住说："和尚，看你脏的！你的鼻涕流下来了，赶紧擦一擦吧！"

懒瓒禅师头也不回地答道："我才没工夫为俗人擦鼻涕呢！"

懒瓒禅师边说边夹起炙热的地瓜往嘴里送，并连声赞道："好吃，好吃！"

大臣凑近一看，惊得目瞪口呆，懒瓒禅师吃的东西哪是地瓜呀，分明是像地瓜一样的石头！懒瓒禅师顺手捡了两块递给大臣，并说："请趁热吃吧！世事都是由心生的，所有东西都来源于知识。贫富贵贱，生熟软硬，你在心里把它看作一样不就行了吗？"

大臣看不惯禅师这些奇异的举动，也听不懂那些深奥的佛法，不敢回答，只好赶回朝廷，添油加醋地把懒瓒禅师的古怪和肮脏禀告皇上。德宗听后并不生气，反而赞叹道："我们国内能有这样的禅师，真是我们大家的福气啊！"

懒瓒禅师是真正达到修心境界的人，他的眼中没有富贵贫贱，没有生熟软硬，万物在他心里都是一样的，他的心是真正清净、没有分别的。就像六祖慧能的禅语："菩提本无树，明镜亦非台。本来无一物，何处惹尘埃。"

一个人的大清净，不是寂静无声、死气沉沉，而是看透繁华后的欢喜。一心清净，即使是冰天雪地、万物沉眠，心里的莲花也能处处开放。

世间熙攘喧嚣，因此世人心生浮躁。在喧嚣处为自己留一份清静，不时从热闹的俗世中退回来，调和内心，就能在纷扰中安顿自己。

第二章 安心：真正的贫穷是心无安处

明浮躁源，戒浮躁心

无论外界怎样，我们都应该随时提醒自己不要有一丝一毫的浮躁，认认真真、踏踏实实才是处世之道。

浮躁，是轻浮急躁的意思，是造成人们做事的目的与结果不一致的常见原因。心浮气躁的人做起事来一味追求速度，既无准备，也无计划，恨不能一日千里、一蹴而就，结果往往遭遇挫折和失败，由此给自己造成心理上的痛苦和烦恼。要从浮躁中解脱身心，首先必须找出浮躁的根源。

浮躁源自急于求成的心态和希望立刻拥有一切的贪婪。一个人若是贪求太多，心中的念头就会一个接着一个，不得平息。念头一多，情绪波动就大，而情绪越是起伏不定，做事就越急躁，越不得要领，因此也就难以达到目标。

现代高僧弘一法师在念佛一事上很强调戒"躁"，他十分痛恨浮躁，认为有些人之所以念不好佛，完全是浮躁导致的。人人都能念佛，不认识字的人可以先听大家念，一边听一边学；而口舌不灵便的人则可以跟着大家慢慢地念；懒惰的人也可以被大家一起念佛的积极性所感染，从而也和大家一起念。

不认识字的人、口舌不灵便的人、懒惰的人之所以念不好佛，是因为他们只盯着结果，而不愿花费心思做好眼前的事。正如弘一法师所说，只要肯用心，人人都能念好佛。做事情也是如此，只要静下心来努力去做，没有做不到的。

一位学僧问禅师："师父，以我的资质多久可以开悟？"

禅师说："十年。"

学僧又问："要十年吗？师父，如果我加倍苦修，又需要多久开悟呢？"

禅师说："得要二十年。"

学僧很是疑惑，于是又问："如果我夜以继日、不休不眠，只为禅修，又需要多久开悟呢？"

禅师说："那样你永无开悟之日。"

学僧惊讶道："为什么？"

禅师说："因为你只在意禅修的结果，又如何有时间来关注自己呢？"

禅师意在劝诫学僧，凡事切不可急躁冒进。的确，想要成就一番伟业，关键在于戒除急躁，真正静下心来，一心一意地将事情做好。一个人越是急躁，就会在错误的思路中陷得越深，也就越难以摆脱痛苦。

宋朝的朱熹十五六岁就开始研究禅学，而到了中年之时才感觉到，速成不是创作良方。于是，他以"欲速则不达"这句话警醒自己，之后下苦功，方获得了一定的成就。他有一句十六字箴言："宁详毋略，宁近毋远，宁下毋高，宁拙毋巧。"

然而，对于"只争朝夕"的现代人来说，追求形式上的成功和表面的风光，远比踏踏实实追求理想容易。我们总是希望尽可能多地拥有美好的东西，于是心浮气躁、汲汲营营地追求，但往往求得了这个，丢失了那个，心中满是愤懑。求不得、舍不得，懊恼不堪，生命就这样在拥有和失去之间流走。

如果我们真正想要成就一番事业，就必须静下心来，脚踏实地，摆脱速成心理，戒除急躁。具体可以参考以下几点：

一、梳理情绪，掌控情绪。不要被急躁的心情牵着鼻子走，要了解每一种情绪的来龙去脉，然后将它们分门别类，这样才能让内心纷杂的念头安定下来。

二、收敛自己的心，不要四处贪求，为了得不到的东西烦恼。

三、专注眼前。别想太多，试着用心留意此时此刻的呼吸，顺着它的节奏，让杂念在一呼一吸间逐渐沉淀。

四、明确最根本的目标，制订计划，细分步骤，一步一个脚印地走下去，循序渐进地达到目标。

无论外界怎样，我们都应该随时提醒自己不要有一丝一毫的浮躁，只有认认真真、踏踏实实地生活，才能保持宁静平和的心态，为每一个目标做好充足的准备，耐心做好每一阶段的事，最终获得成功。

心常在静处

与其让浮躁影响我们正常的思维，不如放开胸怀，静下心来，默享生活原味。

"非宁静而无以致远。"诸葛亮如此告诫幼子。静是什么？是泰山崩于前而色不变，是大胸襟，也是大觉悟，非丝非竹而自恬愉，非烟非茗而自清芬。

佛教典籍中有一首偈语："菩萨清凉月，常游毕竟空。众生心垢净，菩提月现前。"这就是说，如果我们能保持心灵平淡清静，佛性就会自显。

静，是一种大知大觉的灵机，是高山野云般的空灵智慧，是修佛之人必持的禅定智慧。"宁静即释迦"，我们的心若能常常清静，没有贪、嗔、痴，遇到什么境界都不受影响——不论外在的利诱，还是险恶的威胁，内心都不受其影响，就叫作宁静。

生活紧张而焦灼的人很难品味到静的清芬与恬愉，因为身外的嘈杂和喧哗太多，以至于忽略了自己的内心。

小和尚问老和尚："僧人皈依佛门，四大皆空，讲究的是虚静。那么，我们来世上一遭，究竟是为了什么呢？还有什么是属于我们的呢？"

"为了自己的心啊。"老和尚开导小和尚说，"属于我们的太多太多了，自由的身心、超脱的意念，以及蓝天白云、这山那水。"老和尚看着小和尚一脸困惑的样子，又补充说："当一个人四大皆空时，这世间的一切就都是他的了。见山是山、见水是水，梦游四海、思渡五岳，我们还有什么不可以企及的呢？"

小和尚说："那尘世间的人们不也拥有这些东西吗？"

老和尚说："不！有钱的人，心中只拥有钱；有宅邸的人，心中只惦记着宅邸；有权势的人，心中只关注权势他们拥有某项事物的同时，也失去了除此之外的所有事物。"

这时，太阳落山，月亮从东方升起，山中炊烟袅袅腾腾。小和尚望着山水云月，舒心地笑了。

人们常常为名誉、钱财等身外之物奔波劳碌，殊不知，身外的堆积越多，离生活最本真的清静就越远。心浮气躁、患得患失之间，人很难得到沉静的安宁。与其让浮躁影响我们正常的思维，不如放开胸怀，静下心来，默享生活的原味。

宁静可以沉淀出生活中许多纷杂的浮躁，过滤出浅薄粗浮等人性的杂质，可以避免许多鲁莽、无聊、荒谬的事情发生。宁静是一种气质、一种修养、一种境界、一种充满内涵的悠远。安之若素，沉默从容，往往比气急败坏、声嘶力竭更显涵养和理智。想获得宁静，可参考以下几点：

一、不轻易起心动念。这或许是达到"心静则万物莫不自得"之境界的最佳途径。有些时候，人真的不必太急功近利，不如将心跳放缓，安然领略人生的每一处风景。

二、观想。所谓观想，就是找一个目标物，这个目标物可以是任何有形的物体，将它放在眼前观看，然后将脑中的想法集中在眼前的物体上，控制自己不去想其他的事。经常训练观想，让心灵入定，能有效去除杂念。

三、平衡负面情绪。一个人快乐时，内心往往很平静，狂风暴雨的声音，也可以当成美妙的乐曲来享受；但若是在痛苦烦恼时面对暴风雨，就很可能心生焦躁和恐惧。因此，去除烦恼，才能让心沉淀下来。

此心常在静处，谁能差遣？拥有一颗宁静的心，才能平静看待世间的得失，才能从容地面对自己的生活。太多不切实际的杂念，是我们登上人生顶峰的最大阻碍。如果能够让心沉下来，不因外界的干扰而动念，我们就有可能更接近成功，生活的本真快乐也能在沉静的瞬间自然显现。

修一颗不为身体境遇所动的心

能做到成败骤然降临而不惊，宠辱无故加诸己身而不动，便是拥有了一种笑看花开花落的淡定和智慧。

人或得意，或失意，不管什么样的心境皆是由身而来。身处何境，甚至身体上具体的痛楚，都能时时影响人的心理状态。因此，所谓的"修养"，一言以概之，便是修炼出一颗不为身体境遇所动的心。能做到成败骤然降临而不惊，宠辱无故加诸己身而不动，便是拥有了一种笑看花开花落的淡定和智慧。

宠，是得意的表象；辱，是失意的代号。当一个人功成名就时，如果平素就有淡泊名利的真修养，就不会欣喜若狂，喜极而泣，甚至得意忘形。得意中不忘形，顺境中居安思危，就能在功名加身时保持心境的淡然。如果面对一时的失意也依然挺直脊背，坦然面对挫折，就能时刻守住心灵的平和，在逆境中奋发，最终走出失意的阴影。

做到得意失意皆平和并不容易，就连为人达观洒脱的文豪苏轼，受人羞辱也难以淡然处之，可见宠辱不惊的修为之难。

宋朝时苏轼在江北瓜州地方任职，和江南金山寺只一江之隔，他和金山寺的住持佛印禅师经常谈禅论道。一日，苏轼自觉修持有得，撰诗一首，派遣书童过江，送给佛印禅师印证，诗云："稽首天中天，毫光照大千；八风吹不动，端坐紫金莲。"八风是指人生所遇到的"嗔、讥、毁、誉、利、衰、苦、乐"八种境界，因其能侵扰人心情绪，故称之为风。

佛印禅师将诗阅后，拿笔批了两个字，就叫书童带回去。苏轼以为禅师一定会赞赏自己修行参禅的境界，急忙打开禅师的批示，一看，只见上面写着"放屁"两个字，不禁无名火起，于是乘船过江找禅师理论。船到金山寺时，佛印禅师早已站在江边等待苏轼，苏轼一见禅师就气呼呼地说："禅师！我们是至交，我的诗、我的修行，你不赞赏也就罢了，怎可骂人呢？"禅师若无其事地说："骂你什么呀？"苏轼把诗上批的"放屁"两字拿给禅师看。禅师哈哈大笑说："言说八风吹不动，为何一屁打过江？"

苏轼闻言惭愧不已，自觉修为不够。

"八风吹不动"是一种心不随身而动的修为境界，可是要将这种境界时刻落到实处，并不容易。

要做到八风不动、宠辱不惊，首先，人们要用广阔的视角去看待事物，运用全方位的思考方式来解决问题。一旦思维钻入了牛角尖，就可能对任何挫折都耿耿于怀，无法腾出空间来整理思绪，因此也就没有办法以坦然之心面对困境。

其次，遇事不慌张。别人讲的话，做的事，都要在自己脑中先过一遍，细细想一想再做出反应。无论是来自他人的赞美、帮助，还是羞辱、侵害，都应以理智来应对。

最后，要做到不动心。不为名利而动，不为苦难而动，不为权势而动，不为嗔怒而动，不为毁谤而动。

《菜根谭》里说："宠辱不惊，闲看庭前花开花落；去留无意，漫随天外云卷云舒。"为人做官能视宠辱如花开花落般平常，才能"不惊"；视职位去留如云卷云舒般自然，才能"无意"。"闲看庭前"大有"躲进小楼成一统，管他冬夏与春秋"之意；"漫随天外"则显示了目光高远，不似小人一般浅见的博大情怀；一句"云卷云舒"又隐含了"大丈夫能屈能伸"的崇高境界。对事对物，对功名利禄，失之不忧，得之不喜，正所谓"淡泊以明志，宁静以致远"。

修持一颗淡定之心，做到得意时淡然，失意时坦然，方能心态平和、恬然自得，方能达观进取、笑看风云。

做第三类人：提得起，方得下

我们要放下浮躁的心，提起淡定的心。无论进退，都不喜不忧，处于低谷不消沉，登上顶峰也不迷失。

人可以分为三类：第一类，提不起、放不下；第二类，提得起、放不下；第三类，提得起、放得下。

第一类人占据了芸芸众生中的大多数，他们只懂享受，却从不承担。他们的内心放不下对功名利禄的追求，像是寄居在荨麻茎秆上的菟丝子，攀附在其他植物之上，毫不费力地汲取着养分，却从不奉献什么。

第二类人有担当，有责任心，而且往往目标明确，会凭借着自己的能力向上攀登。可他们一旦有所获得就舍不得放下，往往拖着越来越重的行囊，艰难上路。

第三类人有理想、有魄力、有担当，而且心地坦然，头脑睿智，可攻可守，可进可退。

提放自如，并非一件简单的事情。提起需要承担责任的勇气，放下也需要斩断妄念的魄力。提起什么，放下什么，也需要有所选择。

一天，寺前来了两个陌生人，年长的仰头看看山，问寺里的和尚："这就是世上最高的山吗？"

"大概是的。"和尚轻轻地答道。年长的没再说什么，就开始往上爬。

年轻人对和尚笑了笑，问："等我回来，你想要我给你带什么？"和尚看着年轻人说："如果你真的到了山顶，就把那一时刻你最不想要的东西给我就行了。"

年轻人很奇怪，但也没多问，就跟着年长的人往上爬。斗转星移，不知又过了多久，年轻人独自走下山来。

又是那座寺前，和尚问年轻人："你们到山顶了吗？"

"是的。"

"另一个人呢？"

"他，永远不会回来了。"

"为什么？"

"唉，对于一个登山者来说，一生最大的愿望就是战胜世上最高的山峰，当他的愿望真的实现了，也就没了人生的目标，这就如同一匹好马折断了腿，活着与死去，已经没有什么区别了。"

"他……"

"他从山崖上跳下去了。"

"那你呢？"

"我本来也要一起跳下去，但我猛然想起答应过你，把我在山顶上最不想要的东西给你，看来，那就是我的生命。"

"那你就来陪我吧！"

年轻人在庙旁搭了个草房，住了下来。人在山旁，日子过得虽然逍遥自在，却如白开水般没有味道。年轻人总爱默默地看着山，在纸上胡乱画着。久而久之，纸上的线条渐渐清晰了，轮廓也明朗了。后来，年轻人成了一个画家，绘画界宣称一颗耀眼的新星正在升起。接着，年轻人又开始写作，不久，他就以文章回归自然、清秀隽永而一举成名。

许多年过去了，昔日的年轻人已经成了老人，当他回想往事的时候，他觉得画画、写作其实没有什么两样。最后，他明白了一个道理：其实，更高的山并不在人的身旁，而在人的心里，只有忘我才能超越。

故事中年长的登山者就属于第二类人，他执着地追求着登上世界最高峰的荣誉，而愿望实现了，他却不能将之放下并继续前行，所以他认为只有绝路可寻；而另一位年轻人也有了轻生的念头，但因为不能违背对和尚的承诺，他才有机会了悟真正的禅机——世界上更高的山在人的心里。收放之间，我们便能不断得到提升，只有坦然放下一切俗物俗心的牵绊，才能真正觅得生命的意义。

星云大师曾说，做人要像一只皮箱，随时提放自如，当提起时提起，当放下时放下。光是提起，拖累太多，非常辛苦；光是放下，要用的时候，就会感到不便。提放自如，意味着不浮躁、不虚荣、不自私，意味着心灵定静，不被任何外界因素动摇。

要做到提放自如，首先，要把去恶行善的心提起，把争名逐利的心放下。"诸恶莫作，众善奉行，自净其意，是诸佛教。"去恶行善是佛教的基本教义之一，行善是分内事，止恶也是该主动承担的责任。真正的智者应该孑然一身，不受虚名牵绊，也不为富贵诱惑。

其次，要把成己成人的心提起，把成败得失的心放下。成就自己的目的是成就别人，只有充实自己，才有足够的能力去帮助别人。在充实自己的过程中，失败是难免的，要能够在失败中汲取教训，在成功中积累经验，而不只是沉浸在收获的快乐或者失败的痛苦中不能自拔。

最后，要把淡定的心提起，把浮躁的心放下。无论进退，都不躁进冲动，都不喜不忧，不沉醉不迷失，专注于自身，如此方能收获心灵的平和与充足。

第三章　专心：一心走路，心无旁骛

出发的理由：让心里的渴望给你方向

明朝宰相张居正在《先公致祸之由敬述》中写道："二十年前，曾有一宏愿，愿以其身为蓐荐，使人寝处其上，溲溺垢秽之，吾无间焉，有欲割舍吾眼鼻者，吾亦欢喜施与。"蓐荐是荆楚之地流行的一种卧具，用稻草绾绳编结而成。张居正这一宏愿，表示他身为父母官，甘为百姓奔波劳苦，欲救百姓脱离苦海。他的这一精神，其实已经具备了甘为众生而舍肉身的大慈悲精神。张居正的一生，也是在为实现这一宏愿而努力，其做法虽有些地方招人非议，但并不妨碍他的济世情怀。

有了愿力，就会有奇迹发生。所谓愿力，就是希望、愿景。修心也好，救济众生也好、普度人间也好，没有愿力，便很难成就大慈大悲、救苦救难的菩提之路。

　　很久以前，有一只名叫欢喜首的鹦鹉，它与许多鸟兽同住在雪山对面的大竹林中。有一天，竹林起了大火，火苗迅速地蔓延开来，竹林瞬间化作火海。由于火势猛烈，鸟兽们都非常害怕，四处逃窜。

　　眼见这一幕，欢喜首心中不忍，飞向远处的大海取水。大海距此遥远，竹林面积广大，欢喜首根本不可能扑灭大火，但它仍然不舍林中的鸟兽同伴，于是奔赴大海，沾湿翅膀，回到竹林抖落翅膀上的水，希望扑灭大火。

　　就这样，它不停地在大海与竹林间往返奔波，不辞辛苦，几乎要累死了。

　　欢喜首的大慈悲精神撼天动地，惊动了天宫的天主释提桓因。释提桓因惊讶地问："何业力竟使忉利天宫发生如此震动？"释提桓因用天眼观察，发现了欢喜首的行为，不由得大为感动。于是，释提桓因来到欢喜首的面前说："竹林如此之大，你来回所沾的水不过几滴，根本无法扑灭大火，为什么还要坚持？"

　　欢喜首回答："我相信只要有愿力，就一定能灭火，即使牺牲性命。如果我牺牲了性命也不能扑灭大火，愿意来生再继续灭火，直到大火熄灭为止！"

　　释提桓因被欢喜首的慈悲心及精进的愿力所感动，立刻降下大雨，扑灭了大火。

　　火再大，只要有心就一定能够扑灭。欢喜首的愿力看似不切实际，但其"精卫填海"的精神和大慈大悲的情怀足以撼天动地，奇迹又怎么可能离它而去。

每一种善行都有回声。而在修行的道路上，每一种愿力都能有想象不到的回报。

九华山的明净和尚常因能站着睡觉而在香客中驰名。他在站着睡的时候，身体站得笔直，吸气时身体向后微微仰，呼气时则微微前倾，随着丹田气息的循环而微微摆动身体。

有一年冬天，明净和尚又在一棵大树下站着睡着了，他并没有依靠大树，而是站在那里，呼出来的气体把头发和眉毛都熏成了白色，他依然不为所动。

一个香客好奇，觉得明净和尚是个懒和尚，于是上前碰了碰他，又用手电筒在他的眼前晃了很久，但明净和尚纹丝不动，连眼皮下的眼珠都没有动弹，静如泥菩萨。

有人说，这就是"站禅入定"，还有一些人直接称他为"肉身佛"。

每个修行成肉身佛的僧人，因为心中有坚定的信仰，有修成正果的愿力，一心一意地礼佛，所以在何时何地都能够进入心中的道场，成就自己的菩提路。然而，有许许多多的人从未经受修行的苦难，却让生活中的一点小烦恼弄得萎靡不振，在生活之路上走得磕磕绊绊。他们哪知道其实生活便是由一个个苦难和烦恼的念珠串成的，每一段苦难和烦恼都是一次锤炼，有了希望就能将念珠转过去，而没有希望、没有信念，转过去的烦恼念珠在转回来的时候还会带来新的烦恼。

一心走路，才能步步莲花

佛经里讲，念佛念到一心不乱，才可以往生极乐净土。这并不是说你念佛就能够往生极乐国土，而是因为你念佛产生了定力，有了一心不乱的定力做基础，才可以往生极乐国土。换句话说，只要你上班、工作一心一意，有了定力，你也可以借助这个定力以及善的发心，想往生哪里，就往生哪里，并不是只有诵经、打坐、念佛，才可以往生极乐净土。每一个法门都是为了产生定力，有了定力才能随心所欲，而一心不乱就是最大的定力。

唐僧历经九九八十一难从西天取经归来后，名动天下，就连随行的白龙马也被赞为"天下第一名马"，迷倒了众多驴马。很多驴马都把白龙马奉为偶像，因此，总有驴马来找它探讨如何获得成功。有驴马问它，为什么不管自己如何努力，也不能实现目标呢？白龙马回答道："我去取经，大家也应该没有闲着，有的可能比我还要忙。但我的目标很明确，一步一个脚印，十万八千里后，我回来了，你们却还在原地踏步，你们的努力只是机械地走着。"

驴马一听，愕然。

不管你身在何处，在你朝着那个方向走的时候，能够认真地坚持下去才能有所收获。认真便是道！认认真真地做每一件事情才能得道。认真，对于每一个平凡人来说都是一种生活姿态，一种对生命历程完全负起责任来的生活姿态，一种对生命的每一瞬间注入所有激情的生活姿态。我们回顾历史便会发现，许多成就斐然的人无一不是以真心对待他们所做的每一件事。大到治国平天下，小到修身齐家，就连撞钟这样看似平凡的小事，他们也能用心来做。

有一天，奕尚禅师从禅房中出来就听到了阵阵悠扬的钟声，禅师立刻被那种与众不同的钟声吸引了，他仔细聆听，神态极其专注。钟声停了以后，他向弟子询问道："今天早上撞钟的是谁啊？"

侍者回答道："他是新来的，才来了没几天。"

奕尚禅师说："你去把他找来，我有话要问他。"

那个新来的和尚来了，奕尚禅师问道："今天早上你敲钟的时候是什么样的心情呢？"

他回答道："没有什么特别的心情，只是当一天和尚撞一天钟罢了。"

奕尚禅师道："我看不是这样的，撞钟的时候，你一定是想着什么，否则，你不会撞出那样的钟声。我仔细听过了，今天的钟声格外响亮，只有真心向佛的人才能撞出那样的声音来。"

新来的和尚想了想，然后说道："我没有刻意想什么，在我还没出家以前，师父告诉我说：'做什么事都要用心，撞钟的时候想到的只能是钟，因为钟即是佛，只有虔诚、斋戒，敬重如佛，才配去撞钟。'"

奕尚禅师面露喜色，提醒他道："撞钟是这样的，做任何事也都是这样的。要保有今天早上撞钟的禅心，以后，你的前途一定不可限量。"

这位新来的和尚便是著名的悟由禅师。从此以后，他牢记奕尚禅师的教诲，事事认真，做任何事都保持撞钟的禅心，后来取得了巨大的成就。

撞钟的时候想到的只能是撞钟，无论是谁有了这样的认真态度，他的前途都是不可限量的。

我们虽然都会撞钟、走路，但常常心浮气躁、步履匆匆，结果总把焦虑和痛苦印在大地上。如果我们忘记焦虑，一心走路，每一步都心怀平静和喜悦，那我们的每一步都会使大地绽放莲花！

当下全心全意，将来才不会只有追忆

关于《锦瑟》这首诗，历史上至少有十几种说法：咏瑟说、情诗说、悼亡诗说，等等。每一种说法都有自己的道理，但这些不同的说法背后都蕴藏着一个共同的警示，那就是：用心感知当下，把握今天，别等到年华老去，空留下惘然的追忆和无尽的迷思。

生命匆匆，今天该做什么，就全心全意地去做，不要为昨天的事犯愁，也不要为将来的事烦忧，这样才能在每个今天，都感受到幸福的自在真意。

一个夏日的午后，灵佑禅师午睡刚醒。

弟子慧寂入室问安，灵佑禅师见是慧寂，便将头朝墙转了过去。

"师父，您这是何故？"慧寂谦恭地问师父。

灵佑禅师起身说道："我方才得了一梦，你试着为我圆圆看。"

慧寂听完师父的梦，没有言语，只是端了一盆水给师父洗脸。

过了一会儿，灵佑禅师的另一弟子智闲也前来问安。灵佑禅师对他说道："我刚才小睡中得了一梦，慧寂已为我圆了，你也替我圆圆看。"

智闲答道："我在下面早就知道了。"

灵佑禅师笑了笑："哦？那么是什么呢？你说说看。"

智闲同样没有言语，只是沏了一杯茶，端到灵佑禅师面前。

灵佑禅师对自己的两位徒弟很是称赞："你们二人的见解比舍利佛还要好！"

圆梦的最好方法就是忘记它！梦中经历的事情，纵然精彩绝伦，也始终只是一个梦境，与现实何益？睡醒后洗洗脸，洗完脸后喝喝茶，才是真实而完满的生活。又何必想着梦里的那些人和事有什么样的比喻和暗示呢？

一心走路，才能步步莲花。把整颗心都放在当下，才能让人间行走的每一步，都开出只属于自己的莲花。

弘一法师正是这样，他精彩的一生，与他"活在当下"的生活态度是分不开的。弘一法师做名士时，寄情声色，纵情诗文，狂放恣意，是个彻彻底底的名士；等做了和尚，他就把红尘旧事统统抛诸脑后，无牵无挂，"芒鞋禅杖走天涯"，是个无牵无挂的真和尚。

夏丏尊先生说弘一法师做人的一个特点就是"做一样，像一样"，而俞平伯则形容得更为生动完整："少年时做公子，像个翩翩公子；中年时做名士，像个风流名士；演话剧，像个演员；学油画，像个美术家；学钢琴，像个音乐家；办报刊，像个编者；当教员，像个老师；做和尚，像个高僧。弘一法师何以能够做一样像一样呢？就是因为他做一切事都认真地、严肃地、献身地做。"

若是凡事都能认真、严肃、献身地去做，自然能做一样，像一样，而那每一样，也都是一朵清净自在的莲华。

遗憾的是，现实中的大部分人都无法专注于现在，他们有的悲叹过去的苦难，有的怀想曾经的荣光，有的担忧明天的衣食，有的憧憬下辈子的福报。可惜了这匆匆的流年和旅途中开得正艳的繁花，也可惜了他们自己。

石屋禅师有首偈子云："过去事已过去了，未来不必预思量；只今便道即今句，梅子熟时栀子香。"枝头的梅子没成熟时，你做什么能使它成熟？窗下的栀子没结花苞时，你又能做什么使其花满枝头？其实，这都是没有意义的问题，梅子没熟时，就去晒晒太阳；栀子没开时，就去看看夕阳，当我们从今天已经成熟、盛开的清风明月、晚风斜阳里获得心满意足的幸福时，那梅熟栀香自然会悄然而至，与我们人生的"锦瑟"音声相和。

佛陀期许我们的幸福圆满，莫过如此吧。

莫总遥望，脚下即是幸福原乡

人们求的是遥望着远方的彼岸，幻想着自己的幸福，是否正在那个地方开花结果，等自己去摘取。而佛陀告诉我们：倘若幸福在明天，那明天永不会到来；倘若彼岸在远方，那远方也永不会靠近。

多少人在人生的旅途里走马观花、步履匆忙，时而好高骛远，时而瞻前顾后，总在那乱花丛里被迷了双眼。何必遥望呢？我们奋力追寻的人生彼岸、幸福原乡，就在我们此刻的脚下啊！

人只能生活在今天，也就是现在的时间中，谁都不可能退回昨天或提前进入明天。如果当一切变得黑暗，当后面的来路与前面的去路都看不见，如同前世与来生都摸不着时，我们要做的只能是"看脚下，看今天"。昨天是"存在过"的，不可及；明天仅是"可能存在"的，同样不可及。这不可及的一切，又怎么可能是幸福的原乡呢？

生命是虚无而又短暂的，生死有时就在转眼之间。我们只有一心一意地体会当下的一颦一笑、一呼一吸，才能不虚度这一生一世。

生命，只在一呼一吸之间。曾经鲜活的脸庞，可能下一秒就会永远凝固。对此，经典电影《春风化雨》里的基廷老师有过更生动的描述。

一次，他把班上的学生带到了校史陈列处。基廷老师让同学们仔细凝视上百年前的毕业生合照，让他们安静地端详照片上每一张生动的、充满活力的脸庞，他则在同学们的耳边低语："我们都是凡人，孩子们。信不信由你，这个房间里的每个人，总有一天都要停止呼吸，僵冷、死亡，就像这些照片里的面孔。你们曾无数次经过这里，却从未真正看过他们。现在，你们看他们，和你们的差异并不大，对吧？同样的发型，和你们一样精力旺盛，和你们一样不可一世，仿佛世界都在他们的掌握之中。他们自认为注定要成就大事，和你们中的大多数人一样，他们的双眼充满了希望。他们是否最后虚度了时光，最后一无所成？如各位所见，这些男孩现在都已化为了尘土。如果你们仔细倾听，便能听见他们在低声耳语，附耳过去仔细听，听见了吗？及时行乐吧，孩子们，珍惜时光，让你的生命超凡脱俗、无与伦比。"

如果我们也静静地翻翻已经逝去的亲友的相片，也许就能对佛陀的开示、基廷老师的教诲有更深的感触。生命，这一呼一吸间的生命，这正在流淌的、脚下的一切，才是我们拥有的全部。人间行脚，并不是艰苦跋涉，越过千山万水去寻一处世外桃源，而是把那千山万水，用我们清净温暖的内心，在脚下踏成美丽的路。

第四章

舒心：找回内心的纯粹和充盈

不快乐是因为活得不单纯

人之所以不快乐，是因为活得不够单纯。人本是自然之子，但在社会发展的进程中，人一方面不断进化，以文化区别于动物；同时也被社会所异化，表现出许多非自然的属性，尤其是在商业社会中，这种异化尤为明显。

要保持人原有的质朴、纯真的自然属性，就需要养一颗自然之心。整日工于心计、追逐名利，如何养身，如何养心？要回归自然，首先要在心态上回到自然中去。

以单纯自在的心态乐享自然中最本初原始的一切，从每一种花草身上看见美丽，从每一阵清风中听到时光的低吟浅唱，让生活的每一个细节回归自然的淳朴，便能从现实的烦恼中超脱。

高峰妙禅师住在山洞里，每天以自然中的野果为餐。很多人对他这样的修行方式十分不解，有人问他："野果有什么好吃的呢？"

高峰妙禅师说："野果可比任何山珍海味都要美味。"

那人说："你看你，住在这个山洞里，乱糟糟的，头发长了也不梳理。"

禅师说："我并没有烦恼，还需要梳理什么？"

"你一年到头就这一身衣服，为什么不准备一套换洗的呢？"

"佛法慈悲、道德这身衣服足以。"

"你总要洗洗澡吧？"

"我的心一干二净，不需要洗澡。"

"你没有朋友，没有爱人，不觉得孤单吗？"

高峰妙禅师指指外头："看见花花草草了吗？大自然的一切都是我的朋友。"

那人猛然醒悟，高峰妙禅师的生活才是自在的，洒脱的。

一心参禅，与大自然融为一体，享受清净、新鲜的生活滋味，实在难能可贵。自然可以开启人的心灵、陶冶人的情操，久居闹市，心久系名利，人就会活得很累。荣华富贵、名声赞誉都是表面的东西，整日费尽心思与人争斗，得到的只是无穷无尽的烦恼，何必这样难为自己？不如将争强好胜的心放下，走出门去，到自然的怀抱中沐浴春风，攀登高山，放歌旷野。

自然是功名的清新剂。人活着要顺其自然，不受外界环境的任何影响。过于倚重外物与环境只会让人充满烦恼，无从解脱。古人说：

"天下本无事，庸人自扰之。"的确，天底下大多数烦恼其实都是自找的，解脱本是多此一举。

生活中，我们也像这个人一样四处寻找解脱的途径，殊不知，并没有谁捆住我们的手脚，真正难以突破的是心中的瓶颈。突破心中的瓶颈，清除心中的垃圾，就可以在属于自己的天空中自由翱翔。

人之所以不快乐，是因为活得不够单纯；活得单纯，才能超脱生活的琐碎烦恼。以下几条可作为具体参照：

一、不刻意追求、不用任何执着心给自己设置障碍。能活得简单自然，本身就是一种幸福。

二、保持本色，不人云亦云，不亦步亦趋。人应活出自己的本色，保留一颗原始朴素的初心；而不应随波逐流，给自己增添负担。

三、简朴生活。清理生活中由欲望带来的多余累赘，拥有的东西能满足需要就好。这样的简单生活能清理内心，带来内心的充足和宁静。

一个人若能回归单纯的天性，就能清除心中多余的烦扰，让心灵恢复最初的本真和快乐。

快乐在于找到内在的纯粹和自由

快乐不是费尽心机的结果，而是一个无心而求的美好过程。

世人皆喜日出，因为日出昭示着希望；许多禅门中人则喜日落，因为观日落可以得定，可以发慧，落日柔和清凉有慈悲相，可提醒时日已过的无常。

落日是永恒，是生必然走向灭的象征，能洞察生灭现象者，才是有智慧的人。日出与日落皆是天地运行的一种规律，正如荣与枯都是生命固有的一种状态，本就无须以人心的悲喜来评价。荣也好，枯也罢，都是无心、随缘的结果，都包含着生命自由而纯粹的喜悦。

药山禅师在庭院中打坐，身边有云岩和道吾两名弟子相伴。禅师坐禅之后，看两名弟子仍然若有所思，便指着院中的两棵老树问道："你们看这两棵老树，已经在寺中经历了上百个年头，如今，这两棵树一枯一荣，你们说，是枯的好，还是荣的好呢？"

道吾回答道："荣的好！"

云岩答道："枯的好！"

药山禅师并未答话，恰逢一位侍者从旁边路过，于是药山禅师将他喊了过来，问他道："你看院中的这两棵树，是枯的好呢，还是荣的好？"

侍者回答道："枯者由他枯，荣者任他荣。"

药山禅师面露微笑，赞许地朝侍者点了点头。

同一个问题有三种不同的答案："荣的好"，表示一个人的性格热忱进取；"枯的好"，说明这个人清净淡泊；"枯者由他枯，荣者由他荣"，则是顺应自然，各有因缘。所以有诗曰："云岩寂寂无窠臼，灿烂宗风是道吾；深信高禅知此意，闲行闲坐任荣枯。"

花草树木的枯荣与太阳的东升西落，如昼夜的交替、四季的转换一样，是自然界里极其平常的事情，而一旦与个人际遇相联系，人们便会生发出无限感慨。大多数人会因为美好事物的逝去而感伤慨叹，但实际上大可不必如此。

枯有枯的道理，荣有荣的理由，并无好坏之分，好或不好只是个人根据主观感受做出的评判。事无好坏，唯人拣择，就像红尘中的我们，每一天的起卧作息皆顺其自然，饥来张口困来眠，看似平常，却正是人生的无限风光。

　　有一位老师带学生们登山赏雪，雪在山崖树影中交织成一幅美丽的画卷，所有人都被造物的神奇所震撼。

　　老师站在一棵树下，恰好一滴融化的雪水滴在了他的头上，于是他向学生们提了个问题："同学们，雪融化之后，会变成什么呢？"

　　学生们异口同声地回答："水！"

　　老师似有不满，但仍对同学们做了一个赞赏的手势。

　　这时，一个老和尚从旁边经过，他抬头看了看满山的雪色，若有所思地说："雪融化了，难道不是春天吗？"

　　雪化之后，变成了春天，一则生活中随心而至的常识，也可以绽放出童话般的美丽。冬天过去，春天将至，日落之后，还有日出，我们又何必自讨纷扰？

　　生活中，每个人都在寻找着快乐，每个人的快乐也不尽相同。有人认为成为另一个比尔·盖茨，获得巨额财富就是快乐；有人认为拥有闭月羞花、傲视西施貂蝉的美貌是快乐；有人认为和相爱之人相濡以沫、白头到老是快乐；有人认为平平淡淡过完每一天是快乐。

　　快乐不是费尽心机计算出的结果，而是一个无心而求的美好过程。只有不为欲望所苦，顺其自然地生活的人才能时时刻刻享受永恒而无限的快乐。从现在起，不妨试着清空内心多余的执念：

一、以舍为有。不妄想，不贪求，舍弃多余的欲望，才能减轻心灵的重负，活得轻松自在。

二、满心欢喜。不仅要从内心发出无限的欢喜，还要学会将这种欢喜传播给别人，这样才能让身心圆满充足。

三、吃亏受苦时，要将这些当成理所当然的事坦然接受。这样，自然不会有怨天尤人的心，自然就能获得自在。

快乐在于找到内在的纯粹和自由，心胸空灵，身处欲望之中，心离欲望之外，便能达到不受拘束的境界。荣枯无意，生命本是自然，无心而求才能达到真正的自在之境。

静心抬头，发觉生活的千般美丽

如果能够静心抬头，为自己开一扇窗，便看得见广阔晴朗的天，心中的烦恼也好似天边浮云，转瞬便会消逝。

世人每天都在忙碌、不安和烦恼中度过，一个烦恼过去下一个烦恼又来，愁工作、愁财富、愁子女，甚至有时候顾影自怜。总之，各种各样的烦恼层出不穷，永不停息。

烦恼由心产生，世间烦恼本是庸人自扰。一个人如果在面对世事变幻的时候，能够始终保持本心，不生妄念，又何来烦恼呢？

烦恼如同不良生活习惯所导致的疾病，淡定从容的生活态度，则是免于烦恼的健康生活习惯。这种良好的习惯并非每个人都有，即使是得道的高僧也会偶尔心生妄念，自寻烦恼。

白云守端禅师在方会禅师门下参禅，几年来都无法开悟。方会禅师怜念他迟迟找不到入手处，便想借机开示他。一天，方会禅师在禅寺前的广场上和白云守端禅师闲谈，方会禅师问："你还记得你的师父柴陵郁禅师是怎么开悟的吗？"白云守端回答道："我的师父是因为有一天跌了一跤才开悟的。悟道以后，他说了一首偈语：'我有明珠一颗，久被尘牢封锁，今朝尘尽光生，照破山河万朵。'"

方会禅师听完以后，大笑几声，径直而去，留下白云守端愣在当场，心想："难道我说错了吗？为什么老师嘲笑我呢？"白云守端始终放不下方会禅师的笑声，几日来，饭也无心吃，睡梦中也会无端惊醒。他实在忍受不住，就请求老师明示。

方会禅师听他诉说了几日来的苦恼，意味深长地说："你看过庙前那些表演把戏的小丑吗？小丑使出浑身解数，只是为了博取观众一笑。我那天对你一笑，你不但不喜欢，反而不思茶饭，梦寐难安。你对外境这么认真，连一个表演把戏的小丑都不如，如何参透无心无相的禅呢？"

方会禅师一针见血地找到了白云守端的病根，连一笑都不能放下，更何况整个世界呢？烦恼是无缘无故的风，如果无法保持平静淡定，对任何事都深思不已、纠缠不休，我们的心湖就会被烦恼的风掀起波澜。

有句佛语叫"掬水月在手"，苍天的月亮太高，凡尘的力量难以企及，但是开启智慧，掬一捧水，月亮就会被捧在掌心。面对生活中各种纷繁复杂的问题也应有此心境，不要一心攀摘得不到的东西，而要以智慧心发觉生活的千般美丽。解脱烦恼的方法其实很简单，从生活中的细节开始做起，一点点改变心境，就能活得快乐从容：

一、淡定安然地面对各种问题。生活中总有不尽如人意的地方，关键在于我们怎样看待。一个人若总是把问题的责任归咎于自己，或者永远盯着消极面，那么，不用多久一定会烦恼成疾。

二、不为自己制定过高的目标。

三、遇事不喋喋不休地批评、挑刺、埋怨、小题大做，不自寻烦恼。

"百年三万六千日，不在愁中即病中"，古人的诗句道出了人生苦恼的原因。其实世间本没有烦恼，是人心有了欲望，有了攀比，才生出"得不到"的烦扰和"比不上"的苦闷。一个人若能从容淡定，便能远离烦恼，体验另一种人生，另一番境界。

一切世相皆由心造。以浮躁心观世，世界就好似一间紧闭门窗、装满烦恼的屋子，每个人都被关在这间密不透风的屋子里，像一只只焦躁的困兽，围着自己的尾巴打转，追逐无法得到安宁。

如果能够静心抬头，为自己开一扇窗，便看得见广阔晴朗的天，心中的烦恼也好似天边浮云，转瞬便会消逝。生活有了繁杂才显真实，不烦恼，不疾不徐地对待纷扰才能身心舒坦。

第五章

养心：接受遗憾，静享寂寞

人生有遗憾才真实

人生在世，没有谁的生活是一帆风顺的，每个人都会遇到或大或小的挫折和遗憾。人生没有必要太圆满，应该有个缺口让福气流向别人。

有一篇文章叫《懂了遗憾，就懂了人生》，写得真实而又透彻。

许多事情总是想象比现实美，相逢如是，离别亦如是。当现实的情形不按照理想的情形发展，事实出现与心愿不统一的结局时，遗憾便产生了。遗憾可以彰显出悲壮之情，而悲壮又给后人留下一种永恒的力量，也许生活带走了太多东西，可是却留下片片真情。

有过遗憾的人，必定是感觉到深切痛苦的人，这样的人也必定真实地活过，付出过最真的心，用自己的行动演绎过至真至纯的情感，令人心动和感慨。

错过的一切如同错过的时光一样，无法找回，只是错过一点点，就会错过太多，或许还会错过一辈子，留下终生的遗憾。有时我们本可以轻易地拥有，然而却让它悄然溜走。记得以前看过一部电视剧《半生缘》，不否认男女主人公是真心相爱的，但命运与缘分的捉弄使他们各奔东西，多年以后他们再次相见，痛苦万分，追悔不及，只剩遗憾。也许世间最大的悲剧莫过于两个相恋的人不能牵手一生一世，正因为有了遗憾，那份情义才越发显得弥足珍贵，既浸入骨髓又超然永恒。又如梁山伯与祝英台的爱情故事，如若他们真的走到了一起，朝朝与暮暮，相伴一生，白头偕老了，那又何来千古绝唱的凄婉？

不必再去说割舍不下什么，因为已经没有选择的余地了。美好的东西总是太多，我们不可能全部都得到，但对于已经不属于自己的东西，则不必再奢望什么。无缘的人总是留下遗憾，在那一个个熟悉的画面里凋零着各种情绪；在那一个个生动的故事里，多想为它画上一个省略号，却在命运的无奈中被迫为它画下句号。与万丈红尘中的空望，洗却铅华之后的暗伤，将永远与对方形同陌路。

其实有许多感情从开始到结束，不管结果如何，只要有过这种让自己心灵为之震动的感觉就好，因为这本来就是一种富有，一个温暖的感情矿藏，一种生命中最厚重的拥有，毕竟曾经交换过彼此的快乐和寂寞。所以不要再难过，人总得面对醒来的一切。人世本无常，岁月流逝如梦一场，曾经的梦想和誓言如落叶般随风飘荡到不知名的地方，但我始终相信当初说它的时候是发自内心的。

在每个人的工作、生活、学习中都会或多或少的有遗憾，我想没有几个人会喜欢它，但是它确确实实又是生命中的收获，可以入心且无声，像长了翅膀，在偌大的心灵世界里自由飞翔。它可以是美好的回忆，也可以是痛苦的煎熬，带给人的是对生命更多、更深刻的感悟。没有经历过遗憾的人生是不完整的，遗憾是一种感人的美，一种破碎的美，因为有它，人世间一切的真、善、美才更值得称颂；因为有它，生命将更值得去回味；因为有它，才有了远走天涯的念想。

懂了遗憾，就懂了人生。在经历以后，我们才会学到很多，明白了许多，也成熟了许多。人生之路，一定不会总有枝繁叶茂的树，鲜艳夺目的花朵，蝶飞蜂舞的美好景色，一定会有阻挡去路的高山和荒凉的沙漠；人生之路，不一定会总有阳光照耀下缤纷的色彩，也会有阴天时的迷雾重重。生活不仅有灿烂的笑颜，还会有无言的泪水和无法轻松跨越的沟渠。

有些事情一旦错过了，就真的错过了，成了不可弥补的遗憾。而生命如果没有遗憾，没有波澜，就不会丰富多彩，也不值得回味。有遗憾的人生才是真实的人生，有遗憾的人生才能构造完美的人生蓝图。

所有的过去都是安详的历史

也许，在过去的日子里，你犯下了许多错误，使你觉得自己已经无可救药。但过去并不是最重要的，重要的是如何把握现在和将来。要知道，法律的意义在于给犯错的人们一个忏悔、诚心悔过的机会，然后重新开始。

在新泽西州市郊的一座古老的小镇上有一所小学，在学校教学楼的最里面有一间光线昏暗的教室，有26个孩子被编在同一个班。这26个孩子都有过不光彩的历史：有人进过管教所、吸过毒，甚至有一个女孩子在一年里堕胎3次。家长们对他们束手无策，老师和学校也几乎对他们失去了信心。这个时候，一个叫腓娜的女教师被安排担任这个班的辅导老师。新学期开学第一天，腓娜没有像以前的老师那样，先对这些孩子训斥一顿，给他们来个下马威，而是给孩子们出了一道题。有这样3个候选人，他们分别是：

A迷信巫医，有两个情妇，嗜酒如命，有多年的吸烟史。

B曾经两次从办公室被赶出来，每天要睡到吃午饭时才起床，每天晚上都要喝许多白兰地，而且曾经吸食过鸦片。

C曾获国家授予的"战斗英雄"称号，有良好的素食习惯，有艺术天赋，偶尔喝点酒，青年时代从没做过违法的事。

腓娜给大家的问题是："倘若我告诉你们，在上面这3人中间，有一位会成为名垂青史的伟人，你们认为最可能是谁？猜想一下，这3个人将来可能会有怎样的命运？"

对于第一个问题，可以想象，孩子们一致把票投给了C；第二个问题，大家也几乎一致认为，A和B将来肯定不会有好的结局，要么成为人人唾弃的罪犯，要么成为需要社会照顾的寄生虫，而C必定是一个品德高尚的人，肯定会成为伟大的人物。

然而，答案大大出乎孩子们的意料。"你们的结论也许符合一般的判断，"她说，"但实际上，你们都错了。这3个人大家都不陌生，他们是'二战'时期的三个大名鼎鼎的人物——A是富兰克林·罗斯福，他身残志坚，是美国历史上唯一一位连任四届总统的伟大人物；B是温斯顿·丘吉尔，拯救了英国的著名首相；C的名字同学们也很熟悉，他是阿道夫·希特勒，一个夺去了几千万无辜生命的法西斯头目。"孩子们都听得目瞪口呆，简直不敢相信自己的耳朵。

"孩子们，"腓娜继续说，"你们的人生才刚刚迈出第一步，过去的错误和耻辱只能说明过去，真正能代表人一生的是现在和将来的作为。没有人是完人，连伟人也会犯错。走出旧日的阴影吧，从今天开始，努力做自己最想做的事情，你们都将成为人人景仰的杰出人才。"

最终，这26个孩子的命运得以改变。

人总是在不断犯错的过程中长大的，别拿过去的错误惩罚自己，进而错过了新的发展机会。把自己的生活从命运手中抢回来，自己去掌控。

过去只是未来的积淀，不要再陷在过去的泥潭中无法自拔。机会永远在前方为你驻足，你需要做的只是勇敢前行。

有缺憾的人生，依然美丽

佛学里把这个世界叫作"婆娑世界"，翻译过来便是能容纳许多缺陷的世界。这个世界本来就是有缺憾的，如果没有缺憾，就不能称其为人世间。

生命本来就是不圆满的，能够认识到这一点，我们便不会苛求自己的生活，也不会苛求他人。只有懂得接受遗憾的人才会懂得去珍惜已拥有的一切。清朝李密庵主张"半"的人生哲学，日本有一派禅宗书道在挥毫泼墨时总留下几处败笔，这都是在暗示世间没有圆满完美。更有日本东照宫的设计者因为自觉设计太完美，恐怕会遭天谴，而故意把其中一根梁柱的雕花颠倒。

日剧《美丽人生》讲述的是平凡的杏子和佟二之间凄美的爱情故事，女主角杏子的身体虽然有缺陷，却仍然勇于追求爱情。

佟二是一个很有才华的美发师，他在图书馆偶遇脚有残疾的图书管理员杏子。他邀请美丽的杏子为他的发型设计做模特，在两个人误会的产生和消除之间，他们相恋了。面对家人和朋友的不理解，面对种种困难的来袭，他们都守候着彼此。公路上的相识、图书馆的借书、红色的高跟鞋、好吃的拉面、游乐场的圈套、咖啡店的怄气、海边的发型屋……

佟二："这个世界好美喔。从这个100公分的高度来看，这个世界好美。认识你之后的这几个月，我的人生就像是有星尘飞舞般闪耀。"

杏子："在医院这个失眠的夜里，我写下这些，希望与你在一起时的种种能够让我战胜现在的痛苦。你所小心翼翼拯救下来的这个脆弱的生命，现在正一面祈祷着火苗不要熄灭，一面想着你，好想再见见你，再听听你的声音，再被你紧紧地拥抱，再被你宠爱，也想宠爱你。我的人生是属于我自己的，这件事是你教会我的，这个美丽的人生。"

"杏子的开朗，甚至让我遗忘了她身体的残缺。"观众说。

"这个笑着面对死亡的女孩，好美，美得让我嫉妒。"观众说。

当佟二遇见身体有缺陷的杏子之后，他的人生发生了巨大的变化，是杏子教会了他如何坦然面对生活，勇往直前地追寻自己的理想。虽然，最后杏子被病魔夺去了生命，但他们的爱情，依然那么美丽。

人生没有绝对完美，只有无限趋近于完美。缺憾的人生，依然美丽。

为心灵找一个更好的出口

有一天，珍妮整理旧物，偶然翻出几本过去的日记。日记本的纸张有些发黄了，字迹透着年少时的稚嫩。她随手拿起一本翻看，"今天，老师公布了期末成绩，我万万没有想到，我竟然考了第五名，这是我入学以来第一次没有考第一，我难过地哭了，晚饭也没有吃，我要惩罚自己，永远记住这一天，这是我一生最大的失败和痛苦。"看到这里，珍妮自己忍不住笑了，她已经记不得当时的情景了，也难怪，自离开学校后这十几年所经历的失败与痛苦，哪一件不比当年没有考第一更重呢？

翻过这一页，再继续往下看。

"今天，我非常难过，我不知道妈妈为什么那样做？她究竟是不是我的亲妈妈？我真想离开她，离开这个家。过几天就要选择大学了，我要申请其他州的大学，离家远远的，我走了以后再不回这个家了！"

看到这，珍妮不禁有些惊讶，努力回忆当年，妈妈做了什么事让自己那么伤心难过，却怎么也想不起来。又翻了几页，都是些现在看来根本不算什么的事，可是在当时却感到"非常难过""非常痛苦"或"非常难忘"，看了觉得好笑。珍妮放下这本又拿起另一本，翻开，只见扉页上写着："献给我最爱的人——你的爱，将伴我一生！我的爱，永远不会改变！"

看了这一句，珍妮的眼前模模糊糊地浮现出一个男孩的身影。曾经她以为他就是自己生命的全部，可是离开校门以后，他们就没有再见面，她不知道他现在在哪儿，在做什么，她只知道他的爱没有伴自己一生，而她的爱，也早已经改变。

在回首往事的时候，我们才发现曾经以为最重要的事和物都已经变得不那么重要，甚至有些都已经被遗忘了。时间可以淡化一切，可以包容一切，失败都可以转化为成功，痛苦也可以转化为幸福的记忆。所以，无论遭遇什么样的挫折和变故，我们都要以轻松、豁达的心态来看待。

在追忆似水年华的同时，为自己的心灵找一个更好的出口。

修性

第一章 **随性：回归本性，做真正的自己**

想得少点，活得简单

一个人若追求复杂而奢侈的生活，则不仅贪欲无度，烦恼缠身，而且日夜不宁，心无快乐。复杂往往会浪费生命中宝贵的时间，奢侈则极有可能断送美好的人生。

人的一生中，会有很多追求、很多憧憬，有人追求真理、追求理想的生活、追求刻骨铭心的爱情；也有人追求金钱，追求名誉和地位。有追求就会有收获，我们会在不知不觉中拥有很多，有些是必需的，而有些却是完全用不着的。那些用不着的东西，除了满足虚荣心外，就只是一种负担。

我们已经拥有很多，却仍旧不满足，贪恋名利，贪恋这个世界上的一切繁华。我们总以为人生在世，不尽可能多地得到，就无法实现自己的价值。殊不知，得到越多，烦恼也就越多。于是我们背负着沉重的拥有，疲累而苦恼，却不懂得停下脚步，倾听一下内心的声音。

想过美满幸福的生活，希望丰衣足食，这是人之常情，但是把这种欲望无限放大，变成不正当的欲求，变成无止境的贪婪，就会在无形中成为欲望的奴隶。其实，静下心来想一想，有什么目标是非实现不可的？又有什么东西值得用宝贵的生命去换取？

再大的权势，再多的财富，也终有一日成空，没有什么能够代替内心的幸福。我们需要的是简单的生活，因为简单使人宁静，宁静使人快乐。尤其是在面临人生重大的选择时，更需要除去多余的念想。

一个农民从洪水中救起了他的妻子，他的孩子却被淹死了。事后，人们议论纷纷。有人说他做得对，因为孩子可以再生一个，妻子却不能死而复活。有人说他做错了，因为妻子可以另娶一个，孩子没法死而复活。

这件事情传到了当地的寺院里。寺里的一个小和尚听了以后便去问农民为什么没选择救孩子。农民告诉他，他救人时什么也没想。洪水袭来，妻子在他身边，他抓起妻子就往山坡游。待返回时，孩子已被洪水冲走了。

简单是一种睿智的生活方式，这个农民如果进行一番抉择，事情的结果会是怎样呢？洪水袭来，妻子和孩子都被卷进旋涡，片刻之间就会失去性命，这个农民还在山坡上进行抉择，妻子重要，还是孩子重要？那么，最终他谁也救不了。

在人一生中，许多时候并没有机会和时间进行抉择。抉择很困难，但也很简单，困难在于人们总是把抉择当作抉择，并为每一次抉择附加太多的意义，患得患失；简单在于别去考虑抉择问题，而是遵循生命自然的方式，不要被多余的考虑束缚身心，活得简单，才能于简单中发现生命真正的芳华。

世间的繁华是没有尽头的，一切繁华其实都是人内心制造的幻影，以为自己得到了它，实际上还离得很远，我们只不过用自己的人生为繁华作了一个注脚。在追求物质的过程中，人最容易丧失自我。因为对物质的追求永无止境，而人的生命是有限的。

拥有物质不一定就能得到幸福，这就好比带着枕头被子出门，不但没有得到很好的休息，反而增加了负担。拥有再多的物质也仍会有不满足的时候，心灵则因为被物质挤压，无处容身。

在有限的生命里，扪心自问，我们是不是在拥有的同时失掉了简单，失去了幸福？

做人不掺杂念

人活在世上，应当眼界开阔，看得透人生诸多名利与荣辱背后的真相。眼界狭小的人，只看得见眼前的得失，为每一次得失大喜大悲，你争我夺，看不清前途所在，看不清祸福，看不清生死，对于生活的意义、生命的价值一无所知，自我在其中迷失，万千的烦恼也应运而生。懂得放开眼量的人，不会被生活中一时的忧乐所惑，从而能驾驭生活，而不是被生活所困。

在现实生活中，真正懂得放开眼量的人并不多，这是因为人在世间行走的过程中，学到的东西有很多，好的、坏的，混杂在一起，善和恶纠结不清，接触到的世界越宽广，接受的观念和思想越多，欲望也就越多，人心渐渐失去了判断力，失去了向外寻找和向内探求的力量。

佛家修行讲究心无杂念，大千世界、世间万象都在心中，心中却能一片空明，无一杂念，这是一种修佛的境界。做人也是一样，陷入生活的泥沼之时，也要善于摆脱杂念，少一念就少一分烦恼，不掺杂念的心就像赤子之心一般珍贵。

从前有一个有智慧的老者和一个小孩子生活在一起，这个老者从来不教孩子各种礼仪和做人的道理，只是让他自然而然健康地成长。

有一天，一个云游四方的僧人，在老者家中借宿，见孩子什么也不懂，于是教了他很多礼仪。

孩子很聪明，很快就学会了。晚上，孩子见老者从外面回来，于是恭敬地走上前去问安。老者十分惊讶，就问孩子："是谁教给你这些东西的？"

孩子如实回答："是今天来的那个和尚教我的。"

老者马上找到和尚，责备说："和尚你四处云游，修的是什么心性啊？这孩子被我捡来养了两三年，幸好保持了他一颗天然可爱的本心，谁知道一下子就被你破坏了！拿起你的行李快出去吧，我家不欢迎你！"

小孩秉持天然个性成长，和尚却用俗礼污染，被老者赶出家门着实不冤。人无识，便心境明澈；无知，便身无烦恼。如此做人，才是最本真的方式。当然，这只是一种理想的境界，在现实中几乎不可能达到。

每个人从降生于世到长大成人，都会接受各种的教育，即使不接受教育，在社会上生存，也必然会有各种各样的人生经历，这些经历将给人磨砺，促使人成长。人不可能做到绝对的无识无知，但可以在被生活的苦楚纠缠时，退回内心，重新找回面对人生的力量。

退回内心并不是简单的逃避，而是一种洞见心性的智慧。一个人只有明了自己真正的心性，才能在抬头看世界时，保持正确的视角和心态，而不被短视迷住心窍。在内心摆正了自身的位置，才能不掺任何杂念，在实现人生目标的道路上不被外物所惑，笔直前行。

除去心中累赘，回归自然天性

人的本性是自然的，但在尘世中行走多年，有多少人能保持一颗纯净质朴的初心呢？

佛家之人，不喝酒、不吃肉、不近女色、不沉迷于俗世的纷纷扰扰，生活得清净而洒脱。表面看来，他们的生活有些寡淡无味，但正是这清心寡欲的生活让他们的内心回归到淳朴自然的状态，恢复了初来人世时的初心之境。

当人初临人世的时候，都还是一个头脑空空的婴儿，只懂得饿了要吃，困了要睡，既不懂得男女之间的色欲，也不懂得功成名就、家财万贯的荣耀，仅仅以一颗纯真的初心，好奇地观望这个世界，享受这个世界带给他们的每一丝欢乐。

然而，进入俗世久了，一颗初心便面目全非。比如，很多人刚进入社会时，都满怀希望与抱负，遭受多次挫折，经历艰难困苦之后，一颗原本纯真的心就变了。原本爽直的人变得吞吞吐吐，心灵也变得歪曲，丧失了希望与抱负，最后变得畏缩。

究其原因，就是因为心中的累赘多了。常言道，初生牛犊不怕虎，那是因为它不懂得虎的可怕，保持着一颗未被经验污染的心。一旦它切身体验到了虎的可怕，便不再敢于向虎挑战。面对老虎的恐惧，以及由此而来的死亡阴影，会一直占据着它的心。

人生于世也是如此，品尝过失败，便会畏惧失败；品尝过痛苦，就会逃避痛苦；品尝过财富和权势的味道，便要死死抓住，不肯再放开手。久而久之，我们的心越来越沉重，各种累赘堆满了心灵的每个角落。渐渐的，我们什么都不敢再尝试，什么也不肯轻易丢弃，于是再也看不见身边的风景，再也感受不到快乐和安宁。因为失去了用好奇的目光观望世界的那双眼睛，失去了最初充满童心童趣的自己。

除去心中多余的累赘，时不时为心灵腾点空间，才能逐渐回归自然的天性，看见自身的美和世界的美。年龄的增长不是问题，一颗永葆青春纯净的心才是最重要的。

佛尚在世时，有一次，波斯匿王带着群臣，骑着大象出外巡游。途中，波斯匿王看见一个满头白发的老人从远处走来，便叫停了众人，让老人先慢慢走过去，别让浩大的队伍吓着他。

老人本来想着在路边等一等，让队伍先走，但是看到队伍先行停下，也就放心大胆地往前走了。老人走过波斯匿王身边时，波斯匿王微笑着问他："您老年纪不小了吧？"

老人伸出了四个手指头。

波斯匿王纳闷了，这是什么意思？难道才 40 岁吗？可是头发胡须都那样白了。

老人望着波斯匿王，露出了无比天真的笑容，他说：“我今年四岁。”

“四岁？”波斯匿王诧异地问道。

“对！”老人十分坚定地说，“不是说我是倒着活的，而是我从四年前闻得佛法后才算真正开始活着。那之前，我是糊涂的、懵懂的，甚至虚伪的。如今，虽然我身已老，可是我抛开一切，尽自己的力量付出、布施，不同人斤斤计较，不为外事挂心，反而身心轻安，越活越年轻。所以，我说，我的年龄才四岁。”

波斯匿王听了老人的话，十分欢喜，说：“老人家，你虽然闻得佛法才四年，可是你的生命具有真正的价值，无争才是最为逍遥的人生。”

这位老人是真正的智者，身虽老，但心不老。心之所以不老，是因为不为外事挂心，不为烦恼所役。

譬如一个人看到翠竹黄花，青青翠竹是那么青翠有生气，繁茂的黄花又是那样鲜艳美丽，因此为它们的清净不染、庄严自在生出了欢喜、赞叹和感恩之心，这样的人，是用心灵生活的人。这样的心灵，是清澈、没有累赘的心灵；这样的境界，是做人应当追求的境界。

生活在世事纷扰的世界里，尔虞我诈让我们多了一些虚伪，钩心斗角让我们多了一些狡诈，世态炎凉让我们多了一些冷漠，所以人常常显得很苍老，总是受外界环境和自己情绪变化的影响。不被年岁所束缚的人，能时时抛开既有的一切，时时回归自己本性的自然，不执着，不虚妄，回归自然天性，让人生中的每一刻，都成为新的起点。

做人要有一颗直心

佛经中有一句名言："直心是道场。"拥有一颗直心，就是拥有坦荡光明的心境，心口如一，言行如一，心地磊落，没有牵挂纠缠。

心口如一，就是嘴里所说的话，与心中当下所想的内容是一致的，没有欺骗自己和别人。可是，这并不意味着毫无遮拦地和盘托出心里所想的一切，以致不顾后果、不管别人的感受，甚至毫不在乎地用言语伤害别人，这不是直心，而是粗暴和无知，是没有智慧和不慈悲的表现。

在现实生活中，人们为了自己的利益需要，往往会说一些违心的话。佛家有"方便妄语"之说，意思是有时我们为了不伤害别人，可以说一些善意的谎言。不过，善意的谎言一定要出自真心，才符合心口如一的要求。倘若只是为了利益需要而说谎，就谈不上善意，更谈不上直心。

言行如一，是怎么说就怎么做，把自己所说的话原原本本地落实到行动上，这样的心才称得上爽直。与此相反的，就是把自己所说的话，变成口号，话说得很好听，却从来不将它落到实处。现实生活中，我们或多或少都会犯这种言行不一的错误，有时是为现实所迫，有时则是因为自身的惰性，面对困难的事情，总是为自己找借口，不愿意付出努力。久而久之，受害的其实是自己。

做到了心口如一、言行如一之后，就离直心不远了。如果我们觉得自己的心很混乱，不得安宁，这是因为我们还有着太多的牵挂与纠缠，以及由此而产生的执着与烦恼。我们需要找到烦恼的根源，给自己的心松绑。对于烦恼的来源，佛经里说得很清楚："何为病本？谓有攀缘。"攀缘心就是，我们的六根对着六识时，总忍不住要去攀附，由此生出无穷无尽的欲望和烦恼，原本清净坦荡的内心也被扭曲。

要想拥有一颗直心，就要从放下攀缘心开始，只要拥有一颗直心，便处处都是道场。

一天，光严童子为寻找适于修行的清净场所，决心离开喧闹的城市。在他快要出城时，遇到维摩居士。

维摩也称为维摩诘，是与佛祖同时代的著名居士，他妻妾众多，资财无数，一方面潇洒人生，游戏风尘，享尽世间富贵；一方面又精悉佛理，崇佛向道，修成了救世菩萨，在佛教界被喻为"火中生莲花"。

光严童子问维摩居士："你从哪里来？"

"我从道场来。"

"道场在哪里？"

"直心是道场。"

听到维摩居士讲"直心是道场"，光严童子恍然大悟。

直心即纯洁清净之心，即抛弃一切烦恼，灭绝了一切妄念，存一无杂之心。有了直心，在任何地方都可修道；若无直心，就是在清净的深山古刹中也修不出正果。

能够做到时时心口如一，处处言行如一，心地光明磊落，没有牵挂纠缠，就不必去追寻世外桃源，也不必向往人间净土，更不必东攀西附。做好自己，哪怕身处喧闹世俗也不受影响，那么，心内便是净土。

人心本来纯真无私、正直光明，但随着年龄与阅历的增长，渐渐发现周围的许多人都心有城府、尔虞我诈、钩心斗角，便不由自主地随波逐流，放弃了自己的直心道场。

世上最累人的事，莫过于虚伪地过日子。做真实的自己，活出自己的性格，才能得到发自内心的快乐。尊重自己的行为方式，做真正想做的事，做想做的人，才会达到快乐自在的人生状态。

做自己最幸福

在现代社会中，人们时刻在意自己在社会中的位置，或是与熟人比较，或是与亲人攀比，找不到属于自己的价值定位。只看到他人生活中的光鲜，却看不见自己生活中的美好。

每个人都有自己的活法，感受的境界也各自不同，最重要的是能感受到自己生命中独有的意义和价值。不必徒然祈求他人生活中的锦衣玉食，我们也有自己的粗茶淡饭，不用羡慕别人。生活的表象只是代表了不同的活法和不同的道路，只要能安心自在，活出自我，就能在平常中体味满足和幸福。

有一对孪生兄弟因为逃难而失散，多年后重逢，个性活泼的哥哥在饥寒交迫下投身寺院当了和尚，个性安静的弟弟则在机缘巧合下娶妻生子。兄弟俩过得极不快乐：哥哥羡慕弟弟娶妻生子，享尽家庭温馨；弟弟羡慕哥哥皈依佛门，远离尘世纷扰。

一天，兄弟俩相约在半山腰的小凉亭闲谈。正要离开时，发生了山崩，慌乱中他们躲进了一个小山洞，幸免于难。半夜，哥哥怕弟弟着凉，脱下僧衣给弟弟盖上；清晨，弟弟感激哥哥的照顾，脱下上衣给哥哥盖上。几天后，兄弟俩获救了，但哥哥被送回了弟弟家，弟弟被送回了寺院。

他们将错就错地住了下来，体会着自己向往的生活。哥哥为了衣食拼命干活，累得半死也撑不起一家温饱，丝毫享受不到家庭的温馨；弟弟为了准时撞钟、诵早课，和衣而睡，难以安眠，半点感受不到出家生活的闲适。兄弟俩在疲惫不堪下恢复身份，这才发觉，还是做自己最好。

兄弟二人最初都认为另一方的人生值得羡慕，但最终也都发现，还是做自己最幸福。因为丧失自我的生活，并不值得拥有。

在有限的生命中悟透人生的本体，了悟人生的真谛，发出生命的光芒，活出人生的真意，认识到动静一如、有无一般、生死一体、来去一致的心态，放宽胸怀，空出心智，合于自然，从而超越智勇奇巧，超越悲喜荣辱，超越沉浮生灭，超越时间的限制，认清生死问题、苦乐问题和生命的价值问题，那么，人生将会于无尽的空间中绵延，直至进入生命的圆满之境。

每个人的生活都有苦有甜，关键是要发现并能享受生活中美好的一面。自身价值要自己发现，要自己在生活中慢慢体悟。做好自己，便能活出自己人生的真意。

不伪饰，不失本色

顺其自然是佛法，恢复本原亦是佛法。世间万物皆有其自身的规律，树在风中摇摆时是自由自在的，它懂得顺其自然的道理。

自然的，才是最美的。在这个世界上，任何事物，尤其是人，都应保持自己的本色。失去本色，就失去了特征，失去了存在的意义，要知道，任何虚伪的掩饰都不会长久。保持一颗本色之心，遇山则高，遇水则低，随顺自然，才是真谛。

无德禅师四处行脚漂泊，一天经过佛光禅师那里，便去拜访他。

佛光禅师惋惜地说："你是一位很有名的禅者，为什么那么辛苦地四处奔波，不找一个地方隐居起来呢？"

无德禅师无可奈何地答道："我也想隐居，可我拿不定主意，请问究竟哪里才是我的隐居之处呢？"

佛光禅师不客气地指出："你虽然是一位很好的长老禅师，却连隐居之处都不知道？"

无德禅师开玩笑说："我骑了30年马，不料今天竟被驴子摔下来。"意思是说，我30年来见过不少大风大浪，今天却被你难住了。于是无德禅师就在佛光禅师这里住了下来。

一天，有一个学僧问："我想离开佛教义学，可以吗？请禅师帮我抉择一下。"

无德禅师告诉他："如果是那样的人，当然可以了。"

学僧刚要礼拜，无德禅师却拦住他说："你问得很好，问得很好。"

学僧道："我本想请教禅师，可是我还没有"

无德禅师打断道："我今天不回答。"

学僧执着地问："干净得一尘不染时又怎么办呢？"

无德禅师答道："我这个地方不留那种客人。"

学僧再问："禅师，什么是您特别的家风？"

无德禅师说："我不告诉你。"

学僧不满地责问道："您为什么不告诉我呢？"

无德禅师斩钉截铁地回答："这就是我的家风。"

学僧更加不满了，讥讽道："您的家风就是没有一句话吗？"

无德禅师随口说："打坐！"

学僧顶撞道："街上的乞丐不都在坐着吗？"

无德禅师拿出一枚铜钱给学僧，学僧终于醒悟。

无德禅师再见佛光禅师，郑重其事地说："我现在已找到隐居的地方，那就是当行脚的时候行脚，当隐居的时候隐居！"

无德禅师能够当行脚时行脚，当隐居时隐居，正是顺其自然的生动体现。

龙门清远禅师有一首偈语："醉眠醒卧不归家，一身流落在天涯。祖佛位中留不住，夜来依旧宿芦花。"无论醉醒坐卧，都不拘小节，天涯海角任逍遥即是禅者的人生观。什么都无法束缚他们，什么都不改其乐，即使到地狱也洒脱。"祖佛位中留不住"，连佛祖都不做的胸襟还有什么会成为他们的挂碍呢？

当行脚时就行脚，当隐居时便隐居，心中没有任何伪饰，到哪儿都是行脚，去何处都是隐居，生命到此境界，才算是真正的自由自在。

第二章 积极：转换情绪，拓展生命的张力

生命的张力首先在于正视脆弱

人生旅途中有风有雨，但我们心中要始终有个太阳，能够凭借强韧的生命力度过生活中的惊涛骇浪。虽然直面问题往往使人感到痛苦，但如果不去解决，问题就会像山峦一样横亘在眼前，阻止我们成熟。

人的一生必然要经历生、老、病、死，必定要面对成长的烦恼、生活的磨难、前进的挫折、失去的痛苦生命如此脆弱，脆弱的人生虽然让人难过，却也让人反思。没有人天生能够战胜脆弱，但应学着在漫长或短暂的人生中慢慢用行动证实自己的勇敢。

刘伟是 2010 年东方卫视《中国达人秀》的冠军，他的夺冠可谓是众望所归。虽然这位戴着黑框眼镜、身体羸弱、两袖空空的无臂冠军没有能力接过奖杯，但在"达人秀"的舞台上，人们记住了一个用脚趾弹奏钢琴的倔强身影。刘伟在舞台上说出的每句座右铭都掷地有声，表演结束后，他留下一句充满力量的话："我觉得现在每个人心里最重要的就是珍惜你现在拥有的，努力去得到你未来想要的。因为自己经历了一些事情，有的时候需要告诉自己，走下去，至少我还有一双完美的腿。"

10 岁时因触电意外失去双臂，19 岁时，成绩优秀的他放弃高考，开始学习钢琴，只用了一年时间，就能够弹奏相当于手弹钢琴业余4 级水平的钢琴曲《梦中的婚礼》；他凭借自己惊人的毅力追求着在常人看来不可完成的梦想。刘伟在遭到音乐学院校长的歧视后，说："谢谢他能这么歧视我，迟早有一天我会让他看看。"

刘伟曾经说：

"我的人生只有两条路，要么赶紧死，要么精彩地活着。"

"我从来没有把自己当成特殊群体，就是你们用手做的东西，我用脚做，只是换了一种方式而已，没有不一样。"

"我能像正常人一样生活，养活自己，虽然我体会不到拥抱别人的幸福感，但我能够在琴声中感受到更多幸福。"

"在我的生命里不能缺少三样东西，水、空气和音乐。"

"一个男人，就应该为自己的梦想负责。"

刘伟面前的道路很宽阔：签约世界级经纪公司、出唱片、与其他世界达人一起赴拉斯维加斯的演唱会但刘伟很淡定，"我一直是一个普通人，平时不喜欢和媒体打交道，但一位老师告诉我，我能让身边的人对他自己的人生观有所改观，所以如果有一天我能拥有这样的影响力，我愿意继续这么做。"

刘伟坚强、掷地有声的话感动了全世界，就像他经常告诉自己的那样，他从来不把自己当作弱者，失去双手也许让他看起来有点异样，但这不是人生悲观的理由。如果你正视生命中的脆弱，脆弱就不再那么可怕了。

下定决心向前走，失去什么都不能失去对生活的希望。只有如此，才能正视生命中的脆弱，不断进步。

用行动为抱怨画上休止符

夏季的炎热不免引来些许的烦躁，于是人们开始抱怨天气。但仔细想想，同样的夏季，同样的燥热，小孩为什么那么高兴，玩得不亦乐乎呢？儿时，这燥热的夏天不正是我们进入快乐天堂的季节吗？我们顶着大太阳和小伙伴们一起四处捕蝉，在温热的河水里打滚不知外界的环境何时左右了我们的心情，生活中突然平添了许多烦恼。为何不能像小时候那样，用自己的行动去改变现状呢？

两年前，李翔从外地到上海打工，起初，他和公司其他的业务员一样，拿很低的底薪和很不稳定的提成，每天的工作都非常辛苦。当他拿着第三个月的工资回到家时，他向母亲抱怨说："公司老板太抠门了，给我们这么低的薪水。"慈祥的母亲并没有问薪水具体是多少，而是问他："你为公司创造了多少？你拿到的与你给公司创造的是不是相符？"他没有回答母亲的问题，但从此他再没有抱怨过老板，也从不抱怨自己，有时甚至感觉自己这个月做的业绩太少，对不起公司给的工资，进而更加勤奋地工作。

两年后，他被公司提升为主管业务的副总经理，工资待遇提高了很多。一天，他手下的几个业务员向他抱怨："这个月在外面风吹日晒，吃不饱，睡不好，辛辛苦苦，老板才给我1500元！你能不能跟老板提一提增加一些。"他问业务员们："我知道你们吃了不少苦，应该得到回报，可你们想过没有，你们这个月每人给公司只完成了2000元业绩，公司给了你们1500元，公司得到的并不比你们多。"业务员都不再说话。

几个月之后，他手下的业务员成了全公司业绩最优秀的员工，他也被老总提拔为常务副总经理，这时他才27岁。他去人才市场招聘时，凡是抱怨以前的老板没有水平、待遇太低的人一律不招，他说："持这种心态的人，不懂得反思自己，只会抱怨别人。"

抱怨只是暂时的情绪宣泄，它可以成为心灵的麻醉剂，但绝不是解救心病的良方。遇到问题时，抱怨是最坏的方法。

将抱怨化为上进的力量，才是面对困境的正确方法。有人说，如果一个人在青少年时就懂得永不抱怨的价值，那实在是一个良好而明智的开端。倘若我们还没修炼到此种境界，就要时常提醒自己：与其抱怨，不如用行动来改善你所不满的现状。

与其消极地抱怨，不如用行动解决问题，积极地面对人生。

将不幸变为机遇

每个人都有可能走进生命的低谷，被贫穷、自卑、黑暗折磨的日子，咬噬着我们的心。但是，人生的低谷更像是一面镜子，教会我们审视人生、重新认识自己。只有当我们误进深渊，跌得头破血流时，才会在实践的基础上深刻反省自己，为自己今后的道路制定一个切合实际的目标。处于低谷时我们不得不承受、包容来自各方面的压力，这时请默默地接纳这一切，然后告诉自己，一切都将重新开始。

道本连自己的名字都不会写，却在大阪的一所中学当了几十年的校工。尽管工资不多，但他对生活中的一切很满足。就在他要退休时，新上任的校长以"他连字都不识，却在校园工作，太不可思议了"为由，将他辞退了。

道本恋恋不舍地离开了校园，像往常一样，他去为自己的晚餐买半磅香肠，但快到食品店门前时，他想起食品店已经关门多日了。而不巧的是，附近街区竟然没有第二家卖香肠的店。忽然，一个念头在他脑海里闪过——为什么我不开一家专卖香肠的小店呢？他拿出自己仅有的一点积蓄开了一家食品店，专门卖起香肠来。

因为道本灵活多变的经营，十年后，他成了一家熟食加工公司的总裁，他的香肠连锁店遍及大阪的大街小巷，并且提供产、供、销"一条龙"服务，颇有名气的道本香肠制作技术学校也应运而生。

一天，当年辞退他的校长得知这位著名的董事长识字不多时，便十分敬佩地称赞道："道本先生，您没有受过正规的学校教育，却拥有如此成功的事业，实在是太不可思议了。"道本诚恳地回答：

"真感谢您当初辞退了我，让我摔了跟头，从那之后我才认识到自己还能干更多的事情。否则，我现在肯定还是一位靠一点退休金过日子的校工。"

对于过惯了安定生活的人，突如其来的失业无疑是最大的打击，但是道本先生没有因此而放弃自己的人生，被辞退反而成就了他的事业。可见，只要心中时时充满对生活的热爱，困境也会成为机遇。

身陷人生的低谷，首先要有一颗向上的心。以阳光的心态面对世界，那样在不幸中也能发现机遇。

别让悲观挡住了生命的阳光

人生如棋，在生命的尽头才能看透结局，只要还活着，就有挽回败局的可能！当埋怨日子苦的时候，你有没有好好想想，在这些难熬的日子当中，你认真对待过几天？

有位旅行者倚着一棵树晒太阳，他衣衫褴褛，神情萎靡，不时有气无力地打着哈欠。

一位僧人经过，好奇地问道："年轻人，如此好的阳光，如此难得的季节，你不去做你该做的事，却在这里懒懒散散地晒太阳，岂不辜负了大好时光？"

"唉！"旅行者叹了一口气说，"在这个世界上，除了我自己的躯壳外，我已一无所有，又何必去费心费力地做什么事呢？每天晒晒我的躯壳，就是我要做的所有事。"

"你没有家？"

"没有。与其承担家庭的负累，不如干脆没有。"旅行者说。

"你没有你的所爱？"

"没有，与其爱过之后空余怨恨，不如干脆不去爱。"

"你没有朋友？"

"没有。与其得到还会失去，不如干脆没有朋友。"

"你不想去赚钱？"

"不想。千金得来还复去，何必劳心费神动躯体？"

"噢。"僧人若有所思，"看来我得赶快帮你找根绳子。"

"找绳子干吗？"旅行者好奇地问。

"帮你自缢。"

"自缢？你叫我死？"旅行者惊诧道。

"对。人有生就有死，与其生了还会死去，不如干脆就不出生。你的存在，本身就是多余的，自缢而死，不正合你的逻辑吗？"

旅行者无言以对。

"兰生幽谷，不因无人佩戴而不芬芳；月挂中天，不因暂满还缺而不自圆，桃李灼灼，不因秋节将至而不开花，江水奔腾，不因一去不返而拒东流。更何况是人呢？"僧人说完，拂袖而去。

这是一个悲观者的故事，他之所以孤独是因为他没有用心去生活，没有用心去爱，所以没有朋友，没有家人。他只活在自己的躯壳里，没有生命的律动。

沉浮动静皆人生，如果我们总用效益坐标来判断人生的状况，前进为正，后退为负，上升为优，下沉为劣，那么，我们就永远不能读懂人生。星云大师说，追求幸福的过程，才是最幸福的。既然每个人的未来结果是相同的，均为赤条条来去无牵挂，那么还不如在追求一切的过程中好好享受，这才不枉在尘世走一遭。

生活中到处充满了阳光，只是我们有时用悲观遮蔽了双眼，误以为人生灰暗。让自己时刻沐浴在阳光中，便能把生活过出甜蜜的味道。

被需要也是一种幸福

一个人在家庭、在社会、在企业无论处于什么位置，都需要获得别人的认可，也就是所谓的"被需要"。"被需要"是一种幸福，因为"被需要"体现了我们存在的价值。

阿瑞原本有一个幸福的家庭：妻子能干，儿子乖巧，一家人过着快乐的生活。突如其来的不幸降临了，才30岁的妻子得了重病，她在生命垂危的时候，紧紧握着阿端的手说："你一定要照顾好我们的儿子，把他养大成人……"阿瑞含泪点头答应了妻子。

这年阿瑞才32岁，但他为了不让儿子受委屈，一直没有再婚。他细心地照顾着儿子，关心着儿子。儿子也很争气，高中时考入了省重点中学，学习一直名列前茅。阿瑞在工作上也是勤勤恳恳，不久就当上了高级工程师。

转眼，儿子就要参加高考了，阿瑞表现得比儿子还紧张，每天变着花样给儿子做好吃的，生怕他营养不足，影响了考试。但是临考的前三天，一场突如其来的车祸夺去了儿子的生命。阿瑞痛苦至极，他从小就失去了父母亲，年轻时又失去了至爱的妻子，儿子是他全部的希望。没想到，上天竟残忍地夺走了他心爱的儿子。

从那之后，阿瑞每天上班的时候总是心不在焉，他不知道自己工作是为了什么。每天回到家里，他总是是一个人对着墙壁发呆。在这个世界上，他已没有牵挂的人，也没有人会牵挂他。阿瑞越想越痛苦，越想越绝望，每日借酒消愁。

这天下班后，阿端又喝了很多酒，他来到了江边，打算跳进江里，这样就会结束孤单和痛苦。这时已经是晚上9点多了，路上行人很少，忽然他发现不远处有一个衣服破烂的老大娘急急地走过来，捡起了地上的易拉罐，小心地放进手中的袋子里。

阿瑞忍不住问："大娘，您没有和儿子一起住吗？这么晚了还出来做这个？"老大娘叹了一口气说："我一个孤老婆子，哪里有儿子，只有一个7岁的小孙子，还要我来照顾他。"阿瑞看着老大娘满脸的沧桑，眼睛湿润了。他想，我从小没有父母，为什么不可以像儿子一样照顾这个大娘和她的小孙子呢？他走过去扶住大娘说："大娘，我从小失去父母，现在孤身一个人，如果你不嫌弃，我可以做你的儿子。"

之后，阿瑞将老大娘和那个7岁的男孩接到了自己家里。大娘告诉他，男孩是她捡来的弃婴，三个没有血缘关系的人组成了一个家。

阿瑞又恢复了之前工作的劲头，每天下班回家，阿瑞会先喊一声："妈，我回来了！"大娘会端出热腾腾的饭菜。有时他加班回来很晚时，大娘会开着灯一直等他回来。小男孩常常拿着100分的卷子，嘴里喊着："爸爸！爸爸！我又得了100分！"阿瑞抱起儿子，用胡子边扎边说："我儿子是好样的！"一家人生活在一起，其乐融融。

真正的快乐是感觉到你无时无刻都被别人需要着，在心情失落的时候，想想还有那么多需要我们的人，我们的心情就会慢慢变得快乐起来。

　　人生在世，就是在需要与被需要之间学习、生活和工作。需要是一种索取，被需要是一种奉献。有了需要和被需要，社会才能不断进步，人生才充满幸福。

第三章
宽忍：把倾斜的世界在心头放平

忍是心的雕刻刀

人人都知道"忍字头上一把刀"，"忍"是一件让人很难受的事情，脾气再好的人也有"眼里揉不得沙"的时候。然而"小不忍则乱大谋"，一个能忍耐的人才算有大能耐。小小一个"忍"字，是人一辈子的修行。

忍最基本的是耐心，无论做什么事情，都要有耐心。当年翻译经卷的法师，看到中国人有一种倔强的个性——忍，中国人什么都可以忍，连杀头也没有关系，都可以忍，只有侮辱不可以忍，因此，翻译经卷的法师就将这一名词译作忍辱。辱都能忍，那还有什么不能忍的呢？所以，忍辱是专对中国人倔强的个性翻译的，它原来的字义只是"忍耐"，没有辱的意思。其用意是告诉我们做小事情要有小的耐心，做大事情要有大的耐心。《金刚经》告诉我们："一切法得成于忍。"没有忍耐，什么事情都不能成功。

忍耐是一种无畏的力量，就像水一样。水是忍耐的，但流水的力量最大，洪水泛滥，冲坝决堤，水滴石穿，水可以磨圆石棱。

山里有座寺庙，庙里有尊铜铸的大佛和一口大钟。每天大钟都要承受几百次的撞击，发出哀鸣，而大佛每天都坐在那里，接受千千万万人的顶礼膜拜。

一天深夜，大钟向大佛提出抗议说："你我都是铜铸的，你高高在上，每天都有人向你献花供果、烧香奉茶，甚至对你顶礼膜拜。但每当有人拜你之时，我就要挨打，这太不公平了吧！"

大佛听后思索了一会儿，微微一笑，然后安慰大钟说："大钟啊，你也不必艳羡我。你知道吗？当初我被工匠制造时，一棒一棒地捶打，一刀一刀地雕琢，历经刀山火海的痛楚，日夜忍耐如雨点落下的刀锤千锤百炼才铸成佛的眼耳鼻身。我的苦难，你不曾忍受，我走过难忍能忍的苦行，才会坐在这里，接受鲜花的供养和人类的礼拜！而你，别人只在你身上轻轻敲打一下，就忍受不了，痛得不停喊叫！"

大钟听后，若有所思。

忍受痛苦的雕琢和捶打之后，大佛才成为大佛，钟的那点捶打之苦又算得了什么呢？忍耐与痛苦总是相随相伴，而这样的经历，往往能够将人导向幸福的彼岸。

真正的忍耐不仅在脸上、口上，更在心上，根本不需要忍耐，而是自然就如此，是不需要力气、分毫不勉强的忍耐。人要活着，必须以忍处世，不但要忍穷、忍苦、忍难、忍饥、忍冷、忍热、忍气，也要忍富、忍乐、忍利、忍誉，以忍为慧力，以忍为气力，以忍为动力，还要发挥忍的生命力。

无边的罪过，在于一个嗔字；无量的功德，在于一个忍字。忍，历来是中国文化的美德之一；忍，也是佛教认为最大的德行。充实的生命，幸福的人生，需要能够忍受寂寞，忍受他人的恶意羞辱，忍受生活的磨炼，在忍耐中坚强，在坚强中成长。等到我们终成大器时，才会发现忍字头上这把刀，原来是把最好的雕刻刀。

心不嫉，身无疾

嫉妒心是美好生活中的毒瘤，是修行者悲心与慧命的绊脚石。自己得不到，心中就好像有一股酸酸的味道，这便是放不下心，是嫉妒心。嫉妒别人委实是一种难受的滋味，虽然明白自己可能永远得不到对方的成果和美誉，嘴上却不肯承认，还试图从对对方的藐视或者打击中获得平衡，这种嫉妒心理百害而无一利。

嫉妒像是用冰凌磨制而成的冷箭，只在暗处偷袭，而不敢在阳光下发射；嫉妒是由阴谋捆绑而成的棍棒，只能在潜伏中抽打别人的影子，而从不能摆到台面上。

在嫉妒这种疾病面前，很多人都成了病人，不论家世地位，不论出身背景，很多人都躲不开这种疾病的侵袭。

佛经中记载了这样一则故事：

在远古时代，摩伽陀国有一位国王饲养了一群象。象群中，有一头象长得很特殊，全身白皙，毛柔细光滑。后来，国王将这头象交给一位驯象师照顾。这位驯象师不只照顾它的生活起居，还很用心地教它。这头白象十分聪明、善解人意，一段时间之后，他们已建立了良好的默契。

　　有一年，这个国家举行大庆典。国王打算骑白象去观礼，于是驯象师将白象清洗、装扮了一番，在它的背上披上一条白毯子后，交给国王。

　　国王在一些官员的陪同下，骑着白象进城看庆典。由于这头白象实在太漂亮了，民众都围拢过来，一边赞叹一边高喊着："象王！象王！"这时，骑在象背上的国王觉得所有的光彩都被这头白象抢走了，心里十分生气、嫉妒。他很快地绕完一圈，然后不悦地返回王宫。

　　一回王宫，他就问驯象师："这头白象，有没有什么特殊的技艺？"驯象师问国王："不知道国王您指的是哪方面？"国王说："它能不能在悬崖边展现它的技艺呢？"驯象师说："应该可以。"国王就说："好。那明天就让它在波罗奈国和摩伽陀国相邻的悬崖上表演。"

　　隔天，驯象师依约把白象带到那处悬崖。国王就说："这头白象能以三只脚站立在悬崖边吗？"驯象师说："这简单。"他骑上象背，对白象说："来，用三只脚站立。"果然，白象立刻就缩起一只脚。国王又说："它能两脚悬空，只用两脚站立吗？""可以。"驯象师叫白象缩起两脚，它很听话地照做了。国王接着又说："它能不能三脚悬空，只用一脚站立？"

　　驯象师一听，明白国王存心要置白象于死地，就对白象说："你这次要小心一点，缩起三只脚，用一只脚站立。"白象也很谨慎地照做了。围观的民众看了，热烈地为白象鼓掌、喝彩！国王愈想心里愈不平衡，就对驯象师说："它能把后脚也缩起，全身飞过悬崖吗？"

这时，驯象师悄悄对白象说："国王存心要你的命，我们在这里会很危险，你就腾空飞到对面的悬崖上吧！"不可思议的是，这头白象竟然真的把后脚悬空，飞了起来，载着驯象师飞越悬崖，进入波罗奈国。

波罗奈国的人民看到白象飞来，全城都欢呼起来。波罗奈国的国王很高兴地问驯象师："你从哪儿来？为何会骑着白象来到我的国家？"驯象师便将事情经过一一告诉国王。国王听完之后，叹道："人的心胸为什么连一头象都容纳不下呢？"

嫉妒是一种危险的情绪，它源于人对卓越的渴望与心胸的狭窄。嫉妒可以使天才落入流言、恶意和唾液编织而成的网中被绞杀，也可能令智者陷入个人与他人利益的冲撞中而寻不到出路。它不但损害他人，也毁灭嫉妒者自己。

产生了嫉妒心理并不可怕，关键要看你能不能正视嫉妒，并将其转化为动力。与其让嫉妒啃噬自己的内心，不如升华它，把它转化为动力，化消极为积极。

和你的愤怒缔一个约

在贪、嗔、痴、疑、慢五毒中，"嗔"是烦恼毒的根源，所谓"一念嗔心起，八万障门开"。

生活中，很多人一旦心中有嗔、有怨、有恨，面色、言行上很快就会有所显露。修行之人要得心安，一定要把嗔心除掉。有些人没有表现贪欲，但嗔心很重。他不求名利、权势，也不想追求男色、女色，但对很多事情、很多人都看不顺眼。既然对任何事都怨愤不平，对任何人都采取对立的心态，心中哪还能安定？不如趁早和自己心里的愤怒缔结一个和平的契约吧！

　　在生活的旅途中，每个人都难免与周围的人有不同程度的磕磕碰碰，因这样的小事而起嗔心，不仅自己会钻进一个死胡同，影响与他人的关系，而且我们也会因此少很多快乐。我们要学会记住一些美好的东西，忘却自己的不满之心，如此便能活得自在、轻松，更能坦然地面对旅途中的风风雨雨。

　　一个人若能够妥善安顿好自己心里的嗔恨愤怒，时刻提醒自己以一颗宽容心对己对人，以一份豁达的心境面对周围的人与事，那么，这个人就能够除去很多烦恼，保持一颗宁静的心。布施心让人变得更加坚强，宽容心让人更加柔韧。坚忍是一种特质，像水一样，刀剑斩不断，绳索缚不住，牢笼困不得，却能穿石。

　　灭嗔心是修行的必经之路，如果能灭嗔心，就能修行一切善法。当嗔心的火熄灭时，对他人会生起慈悲心，会以关怀、原谅、同情的心对待彼此；当嗔心消灭时，对一切事物的决断，会以纯客观的智慧来处理，从而化解一切麻烦的问题。所以说一旦嗔心灭了，一切善法也就生了。

　　众生在修行之时要学会以豁达的心胸待人处世，不因人之犯己而动气，以祥和慈悲的态度面对一切事、一切人，能够在世事面前如流水一样，可方可圆、顺其自然，过幸福的人生。

宽容无法改变过去，却能改变未来

但凡真正的大人物，都有相当广阔的胸襟；斤斤计较之辈，一般难有太大的成就。佛家常劝诫人们以包容的心态看待他人，看待世界。一颗包容之心，既蕴含着善良的心意，又是智慧的体现。当包容心渐起的时候，人的自我观念就会减少，人就会以一颗菩提心提升自我，关照他人。

以包容的胸襟处世待人，既是禅修者修禅时必经的心路历程，也是我们每个人都应该具有的一种生活态度。人只有具备"海纳百川，有容乃大"的博大气魄，才能够束缚自己内心不安分的念头，平心静气地学习他人的长处，弥补自己的短处，充实自我，成就自我。

俗话说"宰相肚里能撑船"，想做一个能成大事的人，必须具备一颗包容之心。只有处处为别人着想、包容别人，才会得到更多人的理解和支持，梦想才更容易实现。

一位将军设下一桌素食宴请当地的一名得道高僧，想和他探讨人生。

高僧带着自己的徒弟前去赴宴。餐桌上摆满了美味的素肴，但是，吃饭期间，高僧的小徒弟发现一盘菜里面竟然藏了一块肥肉。

徒弟拿起筷子，故意把肉翻到菜的上面，想引起将军的注意。高僧见此也拿起筷子，不动声色地把肉又藏回碗底。小徒弟糊涂了，没有弄明白师傅的意图。

过了一会儿，徒弟又把肉翻了出来。高僧见状，再次巧妙地盖住了肉。两人一翻一遮反复了好几次，高僧见弟子还是不懂他的意思，便凑到他的耳边，轻声说道："要想顾及师徒情分的话，就不要再把肉翻出来了。"

小徒弟听了这话，断然不敢再去翻那块肉，整个宴席也就相安无事地结束了。

在回去的途中，小徒弟壮起胆子问高僧："师父，为什么你不让我把肉翻出来让将军看到呢？明明知道我们只吃素，却夹了一块肥肉在其中，厨师肯定是故意的，就算不是故意的，他也犯错了，应该让将军处罚他。"

高僧说："只是一块肉而已，要是刚才将军看到了，万一他一怒之下杀了厨师，或是给了厨师另外的处罚，我们岂不是这造孽的根源？我跟你说过，修行要以慈悲为怀。没有人是完美的，再厉害的人也会有犯错的时候，何况是个小小的厨师。不管他是有意还是无意，我们要做的不是让事情变得更坏，而是尽量让事情变得更好！"

每个人都有小毛病，可能还会犯点小错误，这都是很正常的。因此，宽容地对待他人，是每一个人应具备的美德。没有一个人愿意与斤斤计较、小肚鸡肠、犯一点小错就抓住不放甚至打击报复的人在一起。

尽可能原谅他人不经意间的冒犯，这是一种重要的生活智慧。那些无关大局之事，没必要锱铢必较，当忍则忍，当让则让。要知道，对他人宽容大度，是制造向心效应的一种手段。

宽容是智能的，真正懂得宽容的人，能够避免一些争端，也能够安抚他人的心灵，平静自己的性情。也许宽容并不能让你的昨天完美，但它可以让你的明天完满。

第四章 博爱：我为人人，爱是恒久的富源

接纳爱的本来面目

人的身体会变化，会老去，情感也会在泅渡时间的过程中渐渐产生变化。因而，不能接受人事变迁、不能容忍爱人的种种毛病，这样的爱情就不牢靠；唯有包容真爱的不完美、包容所爱之人的不完美，我们才能找到幸福之路。

阿难是佛祖的侍从，但也有受到蛊惑的时候。

有一次，阿难托钵四处化缘，一直没有化到饭食，连水都没有。就在这时，前方出现了一口井，阿难便上前打水，一个女子也在井边提水。那女子看到阿难，眼前一亮，心想："如此俊美的比丘，

真是宝相庄严，令人好生欢喜。"女子顿时爱上了阿难。

这女子叫摩登伽女，生得非常漂亮，她有意勾引阿难，千方百计地施展自己的魅力，希望引阿难破戒，即使因此造了业障也不后悔。

三番五次下来，阿难受不了蛊惑，就随摩登伽女回家，二人眼看就要破了色戒。就在此时，佛陀有所感应，知道阿难必要蒙受此色相劫难，于是派文殊菩萨去救阿难。文殊菩萨念了楞严咒，惊醒了阿难。

阿难清醒过来，急忙推开摩登伽女，暗叫罪过，回到佛陀身边忏悔。

摩登伽女却因爱阿难心切，追到佛陀的精舍，希望佛陀成全她和阿难。

佛陀微笑道："你真的很爱阿难吗？"

摩登伽女点头道："当然！"

佛陀点头说："既然如此，我成全你们，但是你必须经过考验才可以。"于是佛陀吩咐弟子将阿难沐浴之后的水端了过来，说："这是阿难沐浴的水，你将这水喝下去，我就相信你爱阿难。"

摩登伽女看到洗澡水，眉头大皱："这么脏的水，我怎么能喝呢？您是存心为难我啊。"

佛陀摇头说："你不是说你爱阿难吗？既然爱他，为什么连他的洗澡水都不能喝？人生下来之后，受世间一切恶业的熏染，身体本来就是脏的。如今阿难健健康康，你就嫌他脏，等他老了，身体腐败，气体虚弱，你岂不是更要嫌弃他了？"

任何爱情都不可能完美，任何结合都并非无可挑剔。男女之间从相爱到结合，从始至终都是一个磨合的过程，中间有磕磕绊绊，有争执吵闹，也会在相处过程中逐渐发现彼此的缺陷，如果不能接受对方的不完美，一味苛求对方，苛求一份完美无缺的爱，那么，爱情很容易消逝，而且彼此心里都会留下不能填补的裂痕。

婚姻是爱情的归宿，同时也是一生相守的承诺。结婚时要认清爱情和婚姻中存在种种的不完美。男人在结婚的时候需要想清楚，自己爱的是对方的模样还是品行；女人在结婚的时候也要想清楚，追求的是一时激情，还是永恒的厮守。如果只是一晌贪欢，不如趁早放手。如果爱的是彼此之间的举手投足的默契，怜惜对方每个不完美的瞬间，那么，婚姻便是一种理性而清醒的选择。

不为世俗的眼光所动，注重心灵的交汇，这样的婚姻才是最美好、最坚固的，才能经受得住岁月的洗礼。为爱坚守，忠贞不渝，任风吹雨打也不动摇，纵时光如刀，切割彼此的容貌，消磨彼此的激情，爱也能保持恒久。

不要害怕去爱：斩断你的犹豫与怯懦

爱情不是靠一个人维持的，爱的付出是相互的。时常向对方表达自己的爱慕与关心，常常为爱情的灯注入新的灯油，爱情才能激发出欢快而明亮的火花。

西方有位圣人说过，犹豫和怯懦是爱情的大敌，当爱来临时，请勇敢地表达自己的心意，否则就会白白浪费机遇。错过这一次，或许就没有再次相遇的机会。古人说"莫待无花空折枝"，默默地等待固然美好，但韶华易逝，时不我待，最终只会空余遗恨。

没有人会单方面而无底线地付出，爱情是一种缘分，需要两个人共同珍惜、呵护，只有索取的爱情是不能长久的，想要维持爱情的甜蜜，就请珍惜对方的付出，也请为对方付出你的真心。

一位悲伤的少女求见燃灯禅师。

"禅师，我现在被感情之事困扰，痛不欲生，请您帮助我。"

"喔，可怜的孩子，什么事情？"禅师说。

少女停顿了一下，忧伤地说："我爱他，可是，我马上就要失去他了。"少女几欲流泪。

"请慢慢从头说吧。"禅师慈祥地说。

"我与他深深相爱。他以他的热情，每天用鲜花表达对我的爱，每天早上都会送我一束迷人的鲜花，每天晚上都会为我唱一首动听的情歌。"

"这不是很好吗？"禅师说。

"可是，最近一个月来，他有时几天才送一束花，有时根本不为我唱歌。"

"问题出在哪儿呢？你对他的爱有回应吗？"

"我发自内心地深深爱着他，但是，我从来没有表露过我对他的爱，总是以冰冷的表情来掩饰内心的热情。现在他对我的热情也在慢慢逝去，我真怕有一天会失去他。禅师，我到底该怎么办？"

禅师听完少女的诉说，从屋里取出一盏油灯，沾了一点儿油，点燃了它。

"这是什么？"少女问。

"油灯。"

"要它做什么？"

"别说话，让我们看着它燃烧吧。"禅师示意少女安静。

灯芯燃烧着，冒出的火苗欢快而明亮，照亮了整个屋子。渐渐的，灯油越来越少，灯芯的火焰也越来越小，光线变弱了。

"呀！该添油了！"少女道。可是禅师示意少女不要动，任凭灯油烧干，最后，连灯芯也烧焦了，火焰熄灭了，只留下一缕青烟在屋中缭绕。

少女看着那一缕青烟迷惑不解。

"爱情也像这油灯，当灯芯烧焦之后，火焰自然就会熄灭了。现在你应该知道要怎么做了。"禅师说。

少女明白了："我要去向他表白，我爱他，不能失去他。我要为我的爱情之灯添油。"少女谢过禅师，匆匆走了。

爱情是两颗心的相互碰撞，单靠一方的努力，另外一方无所回应，爱情的火苗一定不会持续长久，爱情的花朵也不可能结出丰硕的果实。

寻找真爱既需要信念，也需要行动力。两者体现在：

一、一定要对真爱抱有坚定而执着的信念，要相信真爱总有一天会来临。

二、要选择适合自己的爱情，做到宁缺毋滥。不适合自己的爱情不仅不能给自己带来幸福，反而会浪费自己的青春和感情，给自己造成伤害，使我们丧失对真爱的感悟力。最终，伤痕累累的我们可能没有信心再去尝试爱情，从而错过真爱。

三、一旦捕捉到自己的真爱，就要勇敢说出来。不要让羞怯或自尊阻止爱的表达，爱不能将就，更经不起蹉跎和等待。

在寻找爱情的过程中，一旦遇到了命中注定的那个人，我们一定不要被犹豫和怯懦绊住脚步，不要害怕去爱，将爱大胆说出口，才能收获幸福的爱情。

爱之难不在绚烂，而在平淡

许多人在陷入热恋之时总是觉得自己什么都能付出，一旦爱情归于平淡，找不回当初的热情，就又开始四处辗转，寻找真爱，在数度碰壁之后便开始抱怨，消极地认为世间并不存在真爱。

人们往往无法固守曾经炽热的爱，这恰恰说明了爱之难，也说明了爱不仅是最绚烂的那一刻。

爱，是两个人在经历了生活的琐碎之后，在生活的炼狱中历练之后，一起走到白发苍苍时依然手牵手，用心传递出的不离不弃的情怀。

爱，犹如一座永不熄灭的灯塔，永远牵引着在情感中迷失航向的人们。爱情色彩暂时消退，只是因为你还在黑暗的隧道中行走。有朝一日，当你和伴侣历经风雨，相扶着走过人世的沧桑，面对夕阳下白发苍苍的彼此，或许那时，你们就会体悟到爱情真正的含义。

一个人问佛："为什么我以前爱着一个女孩时，她在我眼中是最美丽的，而现在我却常常发现有许多女孩比她更漂亮呢？"

佛问："你敢肯定你是真的爱她，在这世界上你是爱她最深的人吗？"

他毫不犹豫地说："那当然！"

佛说："恭喜。你对她的爱是成熟、理智、真诚而深切的。"

他有些惊讶："哦？"

佛又继续说："她不是这世间最美的，甚至在你那么爱她的时候你都清楚地知道这个事实，而且还是那么爱她，因为你爱的不只是她的青春靓丽。韶华易逝，红颜易老。你对她的爱已经超越了这些表面的东西，也就超越了岁月。你爱的是她整个的人。"

他忍不住说："是的。我的确很爱她的清纯善良，疼惜她的孩子气。"

佛笑了笑："时间的考验对你的爱恋来说算不得什么。"

那个人问："为什么后来在一起的时候，两人反倒没有了以前的激情，更多的是一种互相依赖呢？"

佛说："那是因为你的心里已经将爱情转变为亲情"

他摸了摸脑袋："亲情？"

佛继续说："当爱情到一定程度的时候，就会在不知不觉中转变为亲情。你会逐渐将她看作你生命中的一部分，这样你就会多一些宽容和谅解，也只有亲情才是你诞生伊始上天就安排好的。所以你后来做的，只能是去适应你的亲情。无论你的出身多么高贵，你都要不讲任何条件地接受她，并且对她负责、对她好。"

那个人想了想，点头说道："亲情的确是这样。"

佛笑了笑："爱是因为互相欣赏开始的，因为心动而相恋，因为互相离不开而结婚。但更重要的一点是，爱需要宽容、谅解、习惯和适应，如此才会携手一生。"

爱情最初产生时，也许是出自相互的吸引，然而最终总会回归到日常生活中。佛祖教导世人："爱由心生。"真正的爱必须是由人的内心产生的。由心而生的爱才能对抗岁月的波折，才能让彼此在平淡的流年里相知相守，不离不弃。

真爱博大、深邃、包容，如果能用生命的力量去守候自己的爱，情不死，爱就能永存。

有时候，真爱与"我爱你"这三个字无关，与金钱无关，与地位无关，与容貌无关它或许存于一碗粥、一个座位、一次相视而笑之间。在漫漫长夜中，只要有那个人相伴就足够；在各种挫折中，只要那个人还在身边就能安然。这便是爱。

让爱情保持长久的方法是：

一、爱不能自私，要让爱情转化成亲情。爱情初期的激情是暂时的，而亲情是永久的，因为亲情建立在互相尊敬和信任的基础上。

二、爱不能一味索取。

三、即使是面对最亲近的人，情绪也要有所保留，毫无顾忌地发泄只会造成不能弥补的伤害。

四、为彼此多留一点空间。

五、要为对方着想，真正为对方付出，哪怕有一天对方离去了，也能坦然面对，问心无愧。

六、克制自己的抱怨，不给对方造成压力。

七、爱要感恩，要多想自己得到的，少想自己付出的。

爱的长久之道是相互依靠，拥有一份互相扶持的爱才能在漫长的岁月里走下去，尽管磕磕绊绊，仍有一份平常安然、韵味无穷的幸福。

让别人受益，让自己开心

爱，是一种循环，给予别人的爱，往往不会立即换来回报，但最终会循环到自己的身上。回报的内容和形式多种多样，如果每个人在爱自己的同时，也为别人付出一份爱，那么收获最多的将是我们自己。

在美国南部的一个州，每年都要举办南瓜品种大赛。有一个农夫的赛绩相当优异，经常是冠军的获得者。每当他得奖之后，总是毫不吝惜地将参赛得奖的种子分给街坊邻居。

一位邻居很诧异地问："你能获奖实属不易，我们都看见你投入了大量的时间和精力来进行品种改良，可为什么还这么慷慨地将种子分送给大家呢？你不怕我们的南瓜品种超过你吗？"

这位农夫回答："我将种子分送给大家，是帮助大家，同时也是帮助我自己！"原来，这位农夫居住的地方，家家户户的田地是毗邻相连的。这位农夫将得奖的种子分送给邻居们，邻居们就能改良各自南瓜的品种，同时也就避免了蜜蜂在传递花粉的过程中将邻近较差品种的花粉传到自己的田地中，有利于这位农夫专心致力于品种的改良。如果这位农夫将得奖的种子自己独享，那么农夫势必要在防范方面花费很大精力，便很难迅速培育出更加优良的南瓜品种。

要想品种优良的南瓜不失本色，只有一种办法，那就是让你的邻居们也都种上同样的种子。农夫从一开始就懂得帮助他人的乐趣，所以他收获了更多，而有的人却要用一生的时间才能明白帮助别人能让自己开心的道理。

收藏家拉希德先生有 8000 多把梳子，枣木梳、牛角梳、象牙梳、玉梳，等等，可谓应有尽有。据他自己说，他有 5 把英国女王伊丽莎白一世的梳子。女王的梳子上还挂着一根弯弯曲曲的亚麻色头发，光这根头发就价值连城！拉希德先生的梳子用"老虎嘴"牌保险柜锁着，并且柜子上常年放着一把上了膛的手枪。

　　"你就说世界上这梳子，哈哈……"拉希德先生骄傲得不行，总是说着这样的半句话。"你想看看我的收藏？那怎么行啊？"拉希德先生常常这样自问自答。

　　"爸爸，您有许多梳子是吗？"拉希德先生的儿子央求道，"我想看看！"

　　"不行！爸爸哪有什么梳子呀！"拉希德先生简直吓坏了，赶紧把保险柜的钥匙缝在内裤上。"小孩子嘴巴不严，没准惹出什么祸事来呢！"他想。

　　儿子流下了委屈的泪水。

　　他的妻子说："我知道你有许多梳子，难道连我也不能看一眼吗？"

　　"不行！"拉希德先生埋下头来，说，"妇人家，浅薄得很，其实梳子有什么好看的呢？"

　　拉希德先生的内裤改由自己来洗了，因为那上面有保险柜的钥匙啊。

　　为了最大限度地显示自己的富有，拉希德先生几经辗转，好不容易来到一座没有梳子的城市。

　　"亲爱的市民们，你们知道吗，世界上有一种东西叫梳子，能够把头发弄得格外理顺，没见过吧？哈哈，鄙人拥有 8000 多把梳子！"

拉希德先生在人们的眼神里寻找着崇拜和恭维，然而他没有得到。在一个没有梳子的城市里，自然没人听得懂他的话。所以，拉希德先生天天炫耀，却等于白说。

斗转星移，岁月如梭，拉希德先生老了。他的藏品，保密了一辈子，谁都没看见。现在，他不知道该怎么办了。卖掉吗？要钱做什么呢？继续保密吗？他觉得没意思了。他回想了一下，自己一辈子竟没见过别人给他一丝笑容。

有一天，拉希德先生坐在一棵大树下昏昏欲睡，他怎么也没想到，有一头狮子从后面走了过来。

狮子是从动物园里跑出来的。

这是一头雄狮，长长的鬃毛有些肮脏，却不失威武。当拉希德先生发现狮子时，吓得魂飞魄散、瘫软如泥。

"先生，您好，"狮子开口说，"我很难受，我的鬃毛粘在了一起，硬邦邦的，我一点办法都没有。请问，您能帮我个忙吗？"

拉希德先生赶紧讨好地说："能啊，能的！我有梳子，有许多许多梳子啊！狮子先生，您稍等啊！"

狮子跟着他，来到他的住所。

拉希德先生打开保险柜，取出大大小小、疏疏密密、各式各样的梳子，狮子看得有些眼花缭乱。拉希德先生耐心地、很小心地给狮子梳通鬃毛，先用疏齿的梳子，后用密齿的梳子。他还打了一些水来，把狮子鬃毛上的脏东西清洗掉。

狮子乖乖地等着，像猫儿一样温顺，后来竟打起了呼噜。拉希德先生累得满头大汗，花去了 3 个小时才做完。狮子觉得非常舒服，连连感谢。拉希德先生让狮子照了照镜子，狮子露出了难得一见的笑容。

"太谢谢您了，看来梳子真是世间的宝贝，您有这么多宝贝，我羡慕死了！"

拉希德先生被狮子的笑容感动了，他一股脑儿地把所有的梳子都拿了出来，送给了狮子和市民。

从此，这座城市有了一种新的文明。

从一个吝啬鬼到慷慨地帮助他人，拉希德用了一辈子的时间才终于体会到帮助别人的乐趣。我们也许没有拉希德那样富有，但我们依然可以默默地为别人做点事。当你在走路时不小心被石块绊倒，可以捡起石块，以免下一个路人有同样的遭遇；当你看到路边的玫瑰花开得十分艳丽时，在驻足欣赏的同时，也可以轻轻地告诉从你身旁走过的陌生人——花儿开了。

爱是一种美妙的循环，从你的心里流出，温暖了别人，开心了自己。

第五章

知足：不贪不求，简单就好

舍去贪婪，过不负累的人生

我们常患大病，而病往往由"贪"字而来。中国古代圣贤就认为，世上的人们所尊崇看重的，是富有、高贵、长寿和善名；所爱好和喜欢的，是身体的安适、丰盛的食品、漂亮的服饰、绚丽的色彩和动听的乐声；所认为低下的，是贫穷、卑微、短命和恶名；所痛苦和烦恼的，是身体不能获得舒适安逸、口里不能获得美味佳肴、外形不能获得漂亮的服饰、眼睛不能看到绚丽的色彩、耳朵不能听到悦耳的乐声。假如得不到这些东西，就大为忧愁和担心，进而患大病。

在佛家看来，贪婪会让欲望迷惑人的本心，让人陷入追逐欲望的深渊中不能自拔。人因贪婪而付出的代价往往巨大，如一些人为

97

了得到自己喜欢的东西，殚精竭虑，费尽心机，更甚者因贪欲而不择手段以致走向极端，这样的人到最后往往得不偿失。

贪婪的人，被欲望牵引，欲望无边，贪婪亦无边；贪婪的人，是欲望的奴隶，他们在欲望的驱使下忙忙碌碌，但不知所终；贪婪的人，常怀有私心，一心算计，斤斤计较，最终却一无所获。

"什么是贪？贪名、贪利、贪感情、放不下，贪这个世界上的一切，都属于贪。"有一个故事可以用来说明贪欲之害。

有一位法师年纪大了，面临死亡时，看到两个小鬼来捉他，小鬼在阎王那里拿了拘票，还带了刑具手铐。

这个法师说："我们打个商量好不好？我出家一辈子，只做了功德，没有修行，你给我7天假，7天打坐修成功了，先度你们两个，再去度阎王。"

那两个小鬼被他说动了，就答应了。这个法师以他平常的德行，一上座就万念放下了，庙也不修了，什么都不干了，3天以后，无我相，无人相，无众生相，什么都没有，一片光明。

这两个小鬼第七天来了，看见一片光明却找不到法师。完了，上当了！这两个小鬼说："大和尚你总要慈悲呀！说话要有信用，你说要度我们两个，不然我们回到地府去要坐牢啊！"法师大定了，没有听见，也不管。两个小鬼就商量，怎么办呢？只见这个光里还有一点黑影。有办法了！这个法师还有一点不了道，还有一点乌的，那是不了之处。

因为这位法师功德大，皇帝聘他为国师，送给他一个紫金钵盂和金缕袈裟。这个法师什么都无所谓，但很喜欢这个紫金钵盂，连打坐也端在手上，万缘放下，只有钵盂还拿着。

两个小鬼看出来了，他什么都没有了，只这一点贪还在。于是两个小鬼就变成老鼠，去咬这个钵盂。老鼠一咬，法师动念了，一动念，光没有了，就现出身来，两个小鬼立刻把手铐给法师铐上。

法师很奇怪，以为自己没有得道，于是小鬼说明了经过。法师听了，把紫金钵盂往地上一摔，说道："好了！我跟你们一起见阎王去吧！"这一下，两个小鬼也开悟了。

法师正是因为没有戒除对紫金钵盂的贪念，才会让小鬼得逞。"贪、嗔、痴"为人生"三毒"，是众生业障的根本。妒忌、残害等心理都是随三毒而来的无名烦恼。在这三毒之中，"贪"为第一毒，贪婪使人们短视、气度狭小。人要想拥有纯朴宁静的心灵，过不负累的人生，首先就要驱除贪念。

中国有句古话：知足常乐。做人一定要知道满足，不可贪得无厌。舍去了贪心，人生才能没有负累，才会豁然开朗；舍去了贪心，我们才能明白，简单就是生命中最大的厚礼。

懂得放弃，往往拾起更多

放弃，是一种智慧，是一种豁达。放弃，对心境是一种放松，对心灵是一种滋润，它驱散了乌云，清扫了心房。懂得放弃，我们才能有爽朗坦然的心境；善于放弃，我们的生活才会阳光灿烂。

在工作、生活和学习中，我们需要有所放弃。放弃不适合自己的职业，放弃异化扭曲自己的职位，放弃暴露了弱点、缺陷的环境和工作，放弃虚名，放弃人事纷争，放弃变了味的友谊，放弃失败的爱情，放弃破裂的婚姻，放弃没有意义的交际应酬，放弃坏的情绪，放弃偏见、恶习，放弃不必要的忙碌、压力。

放弃其实是为了得到，为了得到我们真正想要的，放弃一些不必要的"精彩"又有什么不可以呢？放弃是一种睿智，即使精力过人、志向远大，我们也无法在有限的时间内完成许多事情，正所谓"心有余而力不足"。所以，在众多的目标中，我们必须依据现实，有所放弃，有所选择。

有这样一个故事：

比舍是一个珠宝商人，同时也是一个经验丰富的航海家。一次，比舍带领了500商人驾着几艘船入海采宝。他们一路顺遂，很快到达了珠宝产地。

商人们登岸后，看到遍地的宝石便开始贪心地搬运。转眼间，所有的船都被耀眼的珠宝装满了，但商人们仍不满足，眼看船只就要被压沉了。比舍不断劝告大家不能超载，可是被贪欲迷惑的人们听不进他的劝告，他们宁愿死也不舍一粒珠宝。无奈之下，比舍只好把自己船上的宝石全部抛弃，驾驶着空船与满载而归的船队离开。果然，船队刚刚入海，超载的船全都沉入海底。幸好还有比舍的空船，他将500商人全部救出。

当500商人坐着比舍的船到达陆地后，一个神出现在海面上，并将比舍抛弃的珠宝全都给了他。

比舍失而复得后十分欢喜，但他看着其他人憔悴烦恼的样子，于心不忍，于是又把自己失而复得的珠宝与众人平分。

商人们想获得更多，不懂放弃，反而全都失去了。很多时候，只有放弃眼前利益，才能获得长远大利，要想有所得，就要学会放弃。为了更好的明天，就要放弃眼前的小利，勇于舍弃的人是智慧的人。

"鱼，我所欲也；熊掌，亦我所欲也，二者不可兼得，舍鱼而取熊掌也。"生活于人世间，我们必须学会放弃。人的一生很短暂，精力有限，不可能方方面面都顾及，而世界上又有那么多炫目的精彩，这时候，放弃就成了一种大智慧。放弃，并不意味着失败，如果想兼得鱼和熊掌，恐怕会连鱼也得不到。

从前，摩罗国的一位富翁得了重病，将不久于人世。临终前，他把两个儿子叫到床前，嘱咐他们要好好平分他的遗产。话未说完，富翁就去世了。

面对着万贯家财，兄弟二人在贪念的诱惑下开始争夺，但无论采取什么方法分配遗产，都不能令双方满意。于是，一位老人建议他们，无论什么东西都从中间平分就能平均了。兄弟二人接受了这个建议，于是迫不及待地将所有东西都从中间，小心谨慎地分成两半。

转眼间，他们的万贯家财，就变成了一堆堆一文不值的破烂。

兄弟二人困于钱财，被财物耍得团团转，最后还是失了钱财。如果二人懂得舍弃一些东西，也许结局就不会这样。

其实，放弃是另一种获得。要想采一束清新的山花，就得放弃城市的舒适；要想做一名登山健儿，就得放弃娇嫩白净的肌肤；要想穿越沙漠，就得放弃咖啡和可乐；要想获得掌声，就得放弃眼前的虚荣。梅与菊放弃安逸和舒适，才能得到笑傲霜雪的艳丽；大地放弃绚丽斑斓的黄昏，才会迎来旭日东升的曙光；春天放弃芳香四溢的花朵，才能走进硕果累累的金秋；船舶放弃安全的港湾，才能在深海中收获满船鱼虾。

很多时候，我们之所以举步维艰，是因为背负太重，之所以背负太重，是因为没有学会放弃。放弃对金钱无止境的渴求，得到的是安心和快乐；在仕途中，放弃对权力的追逐，随遇而安，得到的是宁静与淡泊。放弃了烦恼，便与快乐结缘；放弃了利益，便步入超然的境地。

在现代社会中，随着物质的丰富，人们面临的诱惑也越来越多，于是每个人都身不由己地变得贪心。追求越多，失望也越深，什么都想要的结果往往是一无所有。保持头脑的清醒，越是身陷嘈杂越要守住简单，做好取舍，才能收获更大的幸福。

舍一分利心，得一份简约

有些人在活着的时候对名利和财富异常重视，到死都不肯放手，但在死后，这些名利钱财都不再属于他们，活着的时候吝啬物质上的付出，就显得毫无意义。当然，这并不意味着人们都要把千金散尽，而是人们对待财物的态度应当保持自然，不要太吝啬。适度的物质享受是合理的，一旦过度就成了奢侈；而死死攥住手里的钱，自己不肯用，更不肯施与他人，更是大错特错。

人从出生到死亡，不过是"赤条条来去无牵挂"，在生命的过程中，如果只想着做一个守财奴，那么赚再多的钱也没有意义。这些钱在我们生时，是束缚的枷锁，在我们死后不知又将成了谁的枷锁，不如舍去，换取更多的温暖。那些用了的钱财，才是自己的。

金钱和财富很美好，常令人们对其趋之若鹜，不遗余力地追求。但金钱不是万能的，财富也未必总能令人快乐，只有超越其存在，才能享受生活。佛家告诉世人，真正的金钱观，是对金钱等物质上的东西喜于接受，也喜于付出。

有位信徒对默仙禅师说："我的妻子贪婪而且吝啬，对于做好事行善，连一点儿钱财也不舍得，你能到我家里来，向我妻子开示，使她能行些善事吗？"

默仙禅师是个痛快人，听完信徒的话，毫不犹豫地答应下来。

当默仙禅师到达那位信徒的家里时，信徒的妻子出来迎接，却连一杯水都舍不得端出来给禅师喝。于是，禅师握着一个拳头说："夫人，你看我的手天天都是这样的，你觉得怎么样呢？"

信徒的妻子说："如果手天天是这个样子，这是有毛病，畸形啊！"

默仙禅师说："对，这样子是畸形。"

接着，默仙禅师把手伸展开，并问："假如天天这个样子呢？"

信徒的妻子说："这样子也是畸形啊！"

默仙禅师立即趁机说："夫人，不错，这些都是畸形，对钱只知贪取，不知布施，是畸形；只知道花用，不知道储蓄，也是畸形。钱要流通，要能进能出，要量入而出。"信徒的妻子此时终于顿悟了。

握着拳头暗示过于吝啬，张开手掌则暗示过于慷慨，信徒的妻子在默仙禅师这样的比喻中，对为人处世、经济观念、用财之道，都豁然领悟了。

有的人过于贪财，有的人过分施舍，这都不是禅道里所讲的财富观。我们应该知道喜舍结缘是发财顺利的原因，因为不播种就不会有收成。布施应该在不自苦、不自恼的情形下去做，在自己力所能及的情况下帮助别人，否则，就不是纯粹的施舍。

在现代社会，许多人都乐善好施，对他人可以慷慨解囊。他们认为，钱财并不总是给他们快乐，而散财、做慈善事业，反而让他们找回了幸福感，这是一种正确的财富观和布施方式。

对于普通的人来讲，虽然没有大笔的财富，但也不必为了金钱而变得锱铢必较。钱财是为了让自己的日子越过越好，而不是让自己变得越来越提心吊胆，或者终日汲汲而求。

那些被我们牢牢攥在掌心的财富，原本就不可能永远为我们所有。在这个世界上，只有被自己用出去的钱财才是自己的。多布施一分钱财，就多舍去一分贪心，多收获一分善缘；多清空一分财富带来的负担，就多得到一分简单生活的真谛。

布衣桑饭，知足就能开心

《金刚经》有文："法尚应舍，何况非法。"这种大彻大悟很难有人做到，舍也好，得也罢，最高境界恐怕不是在权衡各种利弊得失之后做出的判断，而是在看淡了名利，看淡了自己，看淡了世间一切"法"之后，一种随意的"舍"。

我们常人也许很难达到这种境界，最起码应当学会舍，舍弃生命中多余的欲望，知足常乐。孟子说："养心莫善于寡欲；其为人也寡欲，虽有不存焉者，寡矣；其为人也多欲，虽有存焉者，寡矣。"这说的就是"知足常乐"的道理。

对于一个不知足的人来说，天下没有一把椅子是舒服的，没有一块美玉是纯净无瑕的。古人"布衣桑饭，可乐终身"，一个不懂得知足的人，即使拥有荣华富贵，也摆脱不了愁苦。

虽然谁都有些需求与欲望，但这要与自身的能力及社会条件相符。每个人的生活都有欢乐，也有失缺，不能搞攀比，俗话说"人比人，气死人"，面对他人的优越，要有恰当的心理调适。心理调适的最好办法就是让自己始终抱着知足常乐的观念，"知足"便不会有非分之想，"常乐"便能保持心理平衡，不掉进贪欲的牢笼，不得解脱，既看不到眼前的幸福，也看不见生活未来的方向。

从前在普陀山下有位樵夫，以打柴为生，他整日早出晚归，风餐露宿，但仍然常常揭不开锅。于是，他老婆天天到佛前烧香，祈求佛祖慈悲，让他们脱离苦海。

苍天有眼，大运降临。有一天樵夫突然在大树底下挖出一个金罗汉，转眼间他就成了富翁！于是他买房置地，宴请宾朋，而亲朋好友都像是一下子从地下冒出来似的，纷纷赶来向他表示祝贺。

按理说樵夫应该非常满足了，可他只高兴了一阵子，就又犯起愁来，吃睡不香，坐卧不安。他老婆看在眼里，不禁上前劝道："现在吃穿不缺，又有良田美宅，你为什么还发愁呢？就是贼偷，一时半会儿也偷不完啊。你这个丧气鬼！天生受穷的命。"

樵夫听到这里，不耐烦地说："你妇道人家懂得什么？怕人偷只不过是小事，关键是十八罗汉我才得到其中一个，其他十七个我还不知道它们埋在哪里呢，我怎么能安心呢？"说完便瘫软在床上。樵夫整日愁眉不展，落得疾病缠身，最终离幸福和健康越来越远。

樵夫的不幸在于不知足，太过贪婪。很多人认为，只有不知足才能不断进取，才能不断拥有。其实不然，世间有很多东西是我们倾尽一生努力也无法得到的。明知不可得，却听从欲望魔鬼的引诱，在一次次徒劳的努力中耗尽心神、尝尽失望的苦酒，最终又怎能得到快乐呢？不知足，是因为得到的不再觉得珍贵，而认为不曾拥有的才是最好。

知足常乐是以发展的眼光看待事物，不是安于现状的骄傲自满。《大学》曰："止于至善。"就是说人应该懂得如何努力而达到最理想的境界，懂得自己处于什么位置是最好的。知足常乐，知前乐后，也是透析自我、定位自我、放松自我。这样才不至于好高骛远，迷失方向，最终碌碌无为。

生活的本质是简单，身外再多的繁华，最终也会褪尽，只有简单永恒不变。知足意味着看透身外之物的清醒，意味着对简单生活的认同。我们应该明白：布衣桑饭，知足就能开心。

舍了就是得了

佛曰：舍得，舍得，有舍才有得。世界是阴与阳的构成，万事万物皆在舍与得之中成就自身，并达到和谐统一的最高境界。欲望是人的本性，人在世间活着，其实就是一舍一得的过程，不会舍弃，也就不能体会到获得的欢欣。

人生总是有失有得，在得到的时候会失去，失去的同时也会得到。如果我们在该舍弃时不愿放手，最终往往会失去更多。在得失中做出了选择，就不要后悔，尽管大踏步地向前走。著名的南隐禅师说过，不能学会适当放弃的人，将永远背着沉重的负担。懂得用心取舍的人，才能找到最适合自己的，从而获得心理上的快乐。

佛陀曾经开释过一位乞妇，教给她舍与得依依相生的道理。

乞妇是当时印度最穷的乞丐之一，因为她不但生活穷苦，甚至连心灵也很贫乏。她贪求很多东西，这使她愈发觉得自己贫困不堪。一天，她听说佛陀被须达长者请去。须达长者很富有，并且乐善好施，她决定也跟着去，因为她知道佛陀一定会将剩下的食物分给她。

她参加了供佛斋僧的典礼，然后坐在那里，一直等到佛陀看见她。佛陀转向她，问："你想要什么吗？"佛陀当然心知肚明，这么问只不过是要让她承认并亲口说出来罢了。

于是，她回答："我要食物，我要你将剩下的食物给我！"

佛陀说："可以，不过你必须先说'不要'；我给你的时候，你一定要拒绝。"佛陀将食物递给她时，她发现说"不要"非常困难，这时候她才明白，原来自己一生都没有说过"不要"！不论谁给她东西，她都说："好，我要！"因此，她觉得说"不要"太困难了，这两个字对她而言是完全陌生的。费了九牛二虎之力，她终于说出了"不要"二字，佛陀于是将食物给她。如此一来，她终于了解到自己内心真正的饥渴是想有、想要、想抓取、想占有的欲望。

先说"不要"才能得到，换句话说，要想得到，必须先舍去。佛陀用"不要"二字，让乞妇看清自己的贫穷不仅来自物质上的匮乏，更来自内心不舍的欲望。正因为人的欲望永远无法得到满足，所以我们必须学会舍弃。不舍弃，留给自己的只能是重负。舍弃，虽然意味着某种失去，难言的割舍，也可能会给我们带来伤感和惆怅，但它更将带来前方路上更美的相遇，为了明天更加宝贵的撷取。

现实生活中，人为了追逐利益，满足己私，绞尽脑汁地获取好处，甚至施展欺骗和诱惑的伎俩。贪心是一个人的致命弱点，如果一个人贪心太重，任贪婪作祟，那么快乐将随之消失，疑虑和忧愁会接踵而至。

行善，正是抵制贪念的第一利器，是一个人充满爱心的具体表现，更是一个人有智慧和有责任心的表现。因为一个没有智慧和责任心的人不会想到他人需要自己的帮助，不会想到自己应该去帮助别人。行善有物质上的赠予，有知识上的教授，有道义上的支持，有心理上的安慰，还有给予他人的理解。

舍了就是得了，不仅自己的负累要学会舍弃，更重要的是学会将自己的善念传播给他人，将自己所拥有的施与他人。舍与得并不矛盾，而是相生相依的关系。有舍才有得，有舍必有得。

修行

第一章 以无声的觉悟，求有声的事业

身做入世事，心在尘缘外

大诗人苏轼因"乌台诗案"被贬到黄州做小吏，于城东开荒种地，在黄州的第三个春天，他写下了一首千古传诵的小词："莫听穿林打叶声，何妨吟啸且徐行。竹杖芒鞋轻胜马，谁怕？一蓑烟雨任平生。料峭春风吹酒醒，微冷，山头斜照却相迎。回首向来萧瑟处，归去，也无风雨也无晴。"

词中描述野外途中偶遇风雨这一生活中的小事，于简朴中见深意，于寻常处生奇景，特别是其词注更是有几分禅性："三月七日沙湖道中遇雨。雨具先去，同行皆狼狈，余独不觉。已而遂晴，故作此。""余独不觉"四个字非常精彩，写出了诗人旷达超脱的胸襟。

面对人生沉浮、利害得失、情感忧乐，他的理解是"也无风雨也无晴"，这就是一种对人生深度理解后心灵的回归，心与天地同呼吸、与万物共命运，和谐共存，从而达到平常心境。

在平常心这份土壤中，生长着一份进取心境，也只有在进取过程中，才能体会平常心的可贵。而苏轼能够在平常心与进取心中，在生命与生活的天平上找到儒与道之间微妙的平衡，更显出不可多得的品质，他也因此成为做人做事的楷模。苏轼一生颠沛流离，什么苦难都品尝过，但他将那些苦涩吞咽，化作甘甜的糖浆、优美的诗行。

在中国文人里，能够穿梭在"儒与道""出世与入世"间，而又将一份尘心调整适当的，除苏轼之外，还有很多。"细读中国几千年的历史，会发现一个秘密。每一个朝代，在其最鼎盛的时候，在政事的治理上，都有一个共同的秘诀，简言之，就是'内用黄老，外示儒术'。"道出儒道文化在中华民族历史上扮演的重要角色。治理国家如此，修心入世也概莫能外。

在古人眼里，每个人对外作为社会角色，积极入世，承担社会责任；对内则是自然角色，修身养性，调适心灵。道家是自然，可帮助"自我"的调适，与天地共存，与万物合一，而儒家是适度，是重任，是铁肩担道义。"神于天"是生命自由的洒脱与遨游，"圣于地"是社会人格的自我完善。抬头是道家的理想主义，高远飘逸；低头是儒家的现实主义，稳重坚实。在这理想与现实之间行走，人们一方面追求着自我生命的完满，另一方面也塑造着社会角色的责任。这既是中国人始终追求的人格理想，也是儒道文化为后世撑起的广阔天地。

儒学的精髓是积极入世。"修身、齐家、治国、平天下"，《论语》

带着人生四部曲从遥远的春秋缓缓走来。在人生和社会的舞台，我们需要和各种人打交道，需要处理人脉、责任、言行等问题，孔子的智慧可以适用于普遍的为人处世。修身正己，方能给自己的未来发展制造稳固的平台；义利两不忘，在得失间找到正确的尺度，把握好自己的言行，才能在交际中各得其所。《论语》中的立德处世、心存仁念、和谐中庸、诚信礼义，直到今天依然是最实用的生存法则。

道家思想则高屋建瓴。从宇宙天地和人生命完满的宏观角度来思考人应当度过一个怎样的生命征途，站在天道的中心和人生的边缘来反思人生。深入人性，不一味固守冠冕堂皇的道德原则，为人们构建了一片朴素自然的天地，乘物以游心，帮助人们在焦躁的社会安顿身心，获得自由，找到宁静的精神家园。《庄子》中的生死、机心、名利、养生、自由等人生哲理，启发人们超脱现实世界的物欲之海、名利之场，过上一种真正健康幸福的生活，实现精神的绝对自由。

一个缺乏理想主义的人，虽然是务实的，但注定缺乏情趣，而一个没有理想的人，则注定难以成就自己的人生。所以，一个人无论为社会做多少事，他必须是清醒的、有活力的、能快乐起来的。这样的人，才可以使他的亲朋好友，乃至于家国百姓都对他有一份信任和托付。如果一个人心灵是混乱的，身体是脆弱的，连自己的生命都无法担承，那家国大业则无从谈起。

所以，无论社会还是人生，无论面对外在的世界还是内心的自我，我们都在不断寻求理想与现实的平衡。天圆，是生命的圆融；地方，是生活的踏实。身做入世事，心在尘缘外，走在这广阔的天地之间，最大的幸福就是充实而自在地生活。

以出世之精神，做入世之事业

唐朝李泌为世人演绎了一段出世心境入世行的处世佳话，他睿智的处世态度充分显现了一位政治家、宗教家的高超智慧。该仕则仕，该隐则隐，无为之为，无可无不可。

李泌曾写过一阕《长歌行》，将内心对名利功绩的感受描绘得淋漓尽致。"天覆吾，地载吾，天地生吾有意无。不然绝粒升天衢，不然鸣珂游帝都。焉能不贵复不去，空作昂藏一丈夫。一丈夫兮一丈夫，千生气志是良图。请君看取百年事，业就扁舟泛五湖。"

李泌一生中多次因各种原因离开朝廷这个权力中心。玄宗天宝年间，当时隐居南岳嵩山的李泌上书玄宗，议论时政，颇受重视，遭到杨国忠的嫉恨，毁谤李泌以《感遇诗》讽喻朝政，李泌被送往蕲春郡安置，他索性"潜遁名山，以习隐自适"。自从肃宗灵武继位时起，李泌就一直在肃宗身边，为平叛出谋划策，虽未身担要职，却"权逾宰相"，招来了权臣崔圆、李辅国的猜忌。收复京师后，为了躲避随时都可能发生的灾祸，也由于平叛大局已定，李泌便功成身退，进衡山修道。代宗刚一即位，便强行将李泌召至京师，任命他为翰林学士，使其破戒入俗，李泌顺其自然，当时的权相元载将其视作朝中潜在的威胁，寻找名目再次将李泌逐出。后来，元载被诛，李泌又被召回，却再一次受到重臣常衮的排斥，再次离京。建中年间，泾原兵变，身处危难的德宗又把李泌招至身边。

李泌屡蹶屡起、屹立不倒的原因，在于其恰当的处世方法和豁达的心态，其行入世，其心出世，所以社稷有难时，义不容辞，视为理所当然；国难平定后，全身而退，没有丝毫留恋。李泌已达到了顺应外物、无我无己的境界，又如儒家中所说，"用之则行，舍之则藏"，"行"则建功立业，"藏"则修身养性，出世入世都充实而平静。李泌所处的时代，战乱频仍，朝廷内外倾轧混乱，若要明哲保身，必须避免卷入争权夺利的斗争之中。心系社稷，远离权力，无视名利，谦退处世，顺其自然，乃李泌处世要诀。

用出世的心做入世的事，不仅仅是乱世英雄应有的处世秘诀，而且是放之每个时代皆准的处世法则。但是，这并不是每个人都能做到的。

一个和尚因为耐不住佛家的寂寞就下山还俗了。不到一个月，因为耐不得尘世的口舌，又上山了。不到一个月，又耐不住青灯古佛的孤寂再度离去。如此三番，寺中禅师对他说："你干脆不必信佛，脱去袈裟；也不必认真去做俗人，就在庙宇和尘世之间的凉亭那里设一个去处，卖茶如何？"于是这个还俗的和尚就讨了一个媳妇，支起一个茶亭。

许多人都如同这个心绪矛盾之人，在入世与出世之间徘徊不决，干脆就在二者的中间做个半路之人吧。

怎样才能算是以出世之心做入世之事业呢？

以出世的心性，就是说，持"忘我"的心态。对于世间的各种诱惑不要太看重，那些东西本来就不是我们的，是生不带来、死不带去的。因此，不要为失去一些东西而难过，也不要为得到一些东西而欣喜。有了这种心态，我们每个人都会善待身边的人和事，包括对自己有利或者不利的，许多看似很难解决的矛盾就会迎刃而解，这个社会才会真正和谐。

做入世的事业，说的是有了乐观、"忘我"的心态以后，要积极地行善，也就是造福社会。世间有太多的苦难，有太多的天灾人祸，有太多的疾病。如果大家都能够贡献一份能量，那么这个社会就会充满爱、充满阳光。如果我们都能够利用自己的技能做一些造福社会的事情，社会才会不断地发展、进步。就如同《孟子》中所说："得志，泽加于民；不得志，修身见于世。穷则独善其身，达则兼善天下。"

一个真正有道德的人，在物质的世界中"乘物以游心"，抱着一种超然物外、游戏人间的心理看待人生。游戏人间不是玩世不恭，而是让自己的心境轻松，守住做人的本分，从俗事中解脱，不被物质所累。

人生究竟是什么？不过一杯水而已。上天给了每个人一杯水，于是，你从里面饮入了生活。杯子的华丽与否显示了一个人的贫与富，杯子只是容器，杯子里的水，清澈透明，无色无味，对任何人都一样。不过在饮入生命时，每个人都有权利加盐、加糖，或是其他，只要自己喜欢，这是每个人生活的权利，全由自己决定。在欲望的驱使下，你或许会不停地往杯子里加入各种东西，但必须适可而止，因为杯子的容量有限，并且无论你加入了什么，最终你必须将其喝完，无论它的味道如何。如果杯中物甘爽可口，你最好啜饮，慢慢品味，因为每个人都只有一杯水，喝完了，杯子便空空如也。

看透了人生的本质，便不会被繁华遮蔽了双眼，人生不过一杯水，用出世的心做入世的事，便能充分品味水的甘甜。

智者一切求自己，愚者一切求别人

有一次，道谦禅师与好友宗圆结伴参访行脚，宗圆不堪旅途之苦，几次闹着要回去。

道谦禅师于是安慰他说："我们已发心出来参学，而且也走了这么远的路，现在半途放弃实在可惜。这样吧，从现在起，一路上如果可以替你做的事，我一定为你代劳，但只有五件事我都不上忙。"

宗圆问道："哪五件事？"

道谦答道："穿衣、吃饭、屙屎、撒尿、走路。"

听了道谦的话，宗圆大悟，从此再也不喊辛苦。

卡莱尔曾经说过："智者一切求自己，愚者一切求别人。""一切靠自己"永远是成功的不二法则。"流自己的汗，吃自己的饭。"郑板桥告诫儿子，生活要靠自己。一切成功的美谈背后都包含着一个不变的真理："靠天，靠地，不如靠自己！"确实，生死烦恼，别人丝毫不能代替，只有靠自己，才能有所收获，而面对这份收获也会心安理得。

无论是做什么事，都不能像电视剧里所演的靠别人输给自己几十年的"功力"，也不能靠吃灵芝或仙丹。任何外在的力量都无法从根本上改变你的命运，因为只有人自己才是最有威力的法宝。

从前有座山，山上有座庙，庙里有个小和尚。山叫无量山，庙叫无音庙，小和尚叫无名和尚。

无名和尚很小的时候，就在无量山的前坡放牛，突然有一天，遇到一个紫色脸膛的白眉罗汉，那人送他一个蓝色宝盒，并说："你想得到什么就能得到什么。"说完，就一溜烟儿不见了。

小无名很想试一试宝盒的魔力，就说："宝盒，我想吃一顿美味的野餐，可以吗？"

他眼前出现了一道蓝色光环，像一条绸缎，蓝色宝盒自动飞到绸缎的尽头，落在前边不远处的草地上。

小无名急忙从牛背上跳下来，追到蓝色宝盒的跟前一看：呀！这么多好吃的，还冒着热气呢！

小无名饱饱地吃了一顿，太阳快要落山了，他慢慢地从地上爬起来，望了望那边山坳里他的那个破烂的茅草屋，对蓝色宝盒说："兄弟，你还是再辛苦一下吧，我想有间好点的房子。"

蓝色宝盒从地上飘了起来，贴着草尖缓缓地向前边飞去。一条小路的尽头，立刻呈现了一座漂亮的屋舍，屋舍两边还各有一个大大的牛棚。

小无名立刻欢跳着进了自己的家，红砖绿瓦，特别的气派和漂亮。

小无名将牛群赶进牛棚，天色已晚，他来到卧室，躺在柔软舒服的鹅毛垫上就迷迷糊糊地睡着了。

几年之后，小无名成了一个英俊的青年。他对宝盒说："我想有个漂亮的媳妇！"

蓝色宝盒开始吱哇吱哇地叫，不过蓝色光环处，还是出现了一位绝代佳人，正妩媚地朝无名笑呢！

从此，无名带着他漂亮的媳妇一起放牛，一起欢歌，日子过得无比快乐。很快就到了雨季，一连几天的连阴雨，堵了门，无名没法再出去放牛了。

他躺在床上，突然想到冬天牛群吃的草还没贮备呢！

他扭头就对蓝色宝盒说："兄弟，我再求你一次，你想个办法，让我不用再操心，不用再劳累，不用再做事，好吗？"

奇怪，这次宝盒居然没有理他，他拍了宝盒一下："听见了没有？兄弟！"

蓝色宝盒终于开口说话了："听见了，但你从现在开始，就不再是我的主人了！"

"为什么？"

"因为无名就是不断地尽心做事，你这样想，当然就不是无名了，也当然不是我的主人了。"

"不！不！我还要当我的无名！兄弟，你不要走啊，不要离开我！"

"你想重新成为无名，就必须到后坡的无音庙修身养性三百年，再好好领悟成功的真谛，到时候我还会来的。"

眨眼间，蓝色宝盒消失了，漂亮的媳妇消失了，房屋也消失了……

第二天，无量山的无音庙多了个和尚，名字叫无名。

能够让无名得到幸福的，不是蓝色宝盒，而是他自己。

坐享其成是人性的弱点，谁都想不劳而获，都想捡到天上掉下来的馅饼，但是过于依赖别人，总有一天，会掉进地上的陷阱。因此说，靠天、靠地，不如靠自己。

谚语说："黄金随着潮水流来，你也应该早起把它捞起来！"世间没有不劳而获的成就，万丈高楼平地起，万里路程一步始，生死烦恼，别人丝毫不能代替分毫，一切都要靠自己。人生是一条船，成功靠我们自己掌握航向；人生是一块代耕的土地，成功需要我们付出辛勤的汗水；人生充满艰难险阻，成功需要我们有坚强的毅力和无比的信念。我们要靠着一双手，打出属于自己的一片天；我们要靠着一双脚，走出自己的一条路。

性格也是一场修行，修内必能安外

早在青少年时代，梁晓声就逐渐懂得了自我反省。他在《随想录》里回忆说，少年时代的他曾是一个爱撒谎的孩子，总是企图用谎话推掉自己对某件事的责任。事后，这种撒谎的行为又常常使他产生沉重的内疚感，他意识到自己在做不好的事，但还是忍不住去做，这使他处于非常矛盾的境地。

后来，依靠这种并不很坚定的自省意识，他逐渐改变了撒谎的习惯，消灭了一种消极品性滋长的可能性。

1977 年，梁晓声从复旦大学毕业。在开往北京的火车上，他细细反省了一下自己在复旦的所作所为，将自己做过的亏心事细数了一遍。透过这些亏心事，梁晓声认识到了自身性格中的不少消极因素，诸如怯懦、"随风倒"等。认清了这些消极因素，梁晓声就通过自觉的努力去克服它们，从而使自己的性格朝着有利于成功的方向发展。

梁晓声说："我最首位的人生信条是'自己教育自己'。"他把反省列为人生信条的首位，通过自省，他能够清晰地认识到自己性格中的种种消极因素，自觉地抑制这些因素的扩张。正是因为梁晓声善于调动自己性格中积极的个性因素，才使他走上了成功的道路。

世上有两类人，一类装扮脸蛋，一类装扮性格。装扮脸蛋的人，每天都要花大量的时间涂抹描画，有时还会动用刀具切割刮拔，浪费金钱不说，年过四十桃花艳面再也无法显出内在的润泽，才发现原来涂抹雕饰留不住易逝的青春；装扮性格的人，则无须浪费时间和金钱，清晨醒来给自己一个微笑作为开始，出门前给家人一个拥抱，遇见熟人时的一声"你早"，工作中意见不同时的一个耐心的解释和相互的切磋……甚至下班回来的路上为他人的幸福让一个道，都会让一个人的精神饱满起来，让一个人的性格变得立体丰实。

在古代，人们看重的不是偏才怪才，而是一个人的整体魅力，是精神气质和内在品格，性格就是这些因素的主要表达方式，所以性格的魅力自古就是人们广征天下的通行证。被誉为"世纪最佳女演员""亚洲最美丽的女性电影演员"的秦怡，步入九十岁高龄依然美丽、高贵。著名评剧演员新凤霞说："因为她的性格和品质的美，她才能塑造那么多美丽的人物，包括伟大的母亲。"投资银行一代宗师摩根在晚年接受记者时被问道："决定你成功的条件是什么？"老摩根不假思索地说："性格。"看来，古今中外，大凡成功的人都很重视打造有魅力的性格。

当性格蒙尘时，拂去性格的尘埃，展开紧蹙的眉，走出阴郁的情绪，让阳光一路同行；当遭遇生命的周折时，再受伤也不闪泪光，做一株傲视风雨的小草，高傲地宣告命运捉弄的破产；当被鲜花和掌声包围时，学会适时俯身，淡定地立足，不让优越的姿态赶走了你的朋友；当自己的努力不被理解时，我们可以拥有宽容的胸怀，让退出的距离告诉对方不苛责是一种怎样的风度。就这样，以一个开放的灵魂，在人群里安身立命，每走一步都显示着乐观、知足而无抱怨，每走一步都彰显着自信、韧性、独立与包容；就这样怀揣着激情，把消极的情绪抛诸脑后，果敢而理智地面对人生的境遇，用魄力征服艰难险阻，让性格的魅力为你的人生开路。

然而，俗话说：江山易改，本性难移。改变性格并不是一件很容易的事，我们知道，内心的冲突是性格难以转变的重要原因。但是，如果本着朴实的纯真之心，去做自己该做的事，不去期待性格的改变，性格可能会奇迹般地改变。性格就是自己做事的一种倾向性，而其根本乃是外向性与内向性。如果能坚持外向性的做法，对自己的性格、感情都能顺其自然，可能性格会在不知不觉的情况下自然地转变。

由此可见，性格的形成是与我们每一个人的主观努力相关的，因此，我们不能把性格作为借口来为自己进行辩解。而且我们的行为将对我们的性格产生巨大的反作用力，也就是说，只要我们以一种新的"行为方式"来替代以前有缺陷的"行为方式"，直到它变为一种习惯，那我们就有了一种新的性格。而随着我们的性格向着好的或者坏的方面改造，我们的命运也在发生转变。

英国作家毛姆曾说："习惯形成性格，性格决定命运。"人生就是性格的悲喜剧。一个人要想改变自己的命运，就得先改变自己的不良性格；挑战命运，首先要从挑战自己的性格开始。

性格的魅力，不是上帝的特制，也不是与生俱来的。它由内而发，不受容貌、年龄的约束。每个人都是自己性格的美容师，自觉地培养好的性格，改变一些负面的性格，花开花谢，日升日落，就能成就一个完美的人生。

"有心"是一切成功的因

从前，在巴蜀有两个和尚，一个很有钱，每天过着舒舒服服的日子；另一个很穷，每天除了念经时间之外，就得到外面去化缘，日子过得非常清苦。有一天，穷和尚对有钱的和尚说："我很想到南海去拜佛，求取佛经，你看如何？"有钱的和尚说："路途那么遥远，你要怎么去？"穷和尚说："我只需一个钵、一个水瓶、两条腿就够了。"有钱的和尚听了哈哈大笑，说："我想去南海也想了好几年，一直没成行的原因是旅费不够。我的条件比你好，我都去不成了，你又怎么去得成？"过了一年，穷和尚从南海回来，还带了一本佛经送给有钱的和尚。有钱和尚看他果真达成愿望，惭愧得面红耳赤，一句话也说不出来。

只要下定决心，有恒心、有毅力，那么天底下再难的事也会变得容易了。穷和尚虽然没有钱，坐不起车船，但是因为他有坚强的毅力，虔诚向佛，于是跋涉遥远的路途，一路以化缘为生，终于达成了愿望。

对于修行佛道的人，领悟真经奥义不是件容易的事情；对于在尘世苦海里沉浮的人来说，活着同样是件不易的事情。然而，只要肯做个有心人，学习、修行和生活，无论哪一样，都不会变成难事。所谓"世上无难事，只怕有心人。"

那么，什么才是有心呢？怎样才算是用心呢？其实，用心就是以最认真、最细心、并且全心全意、尽力的态度来做好每一件事情。

用心是做好每一件事的基本前提，它可以使工作更有效率，从而事半功倍，而且还可以得到他人的信任，使别人对自己有好的看法。更重要的是，用心可以为自己养成一个良好的习惯，对自己日后的发展定会大有帮助。

日本战国时期有一位名将叫丰臣秀吉。有一次，带着部队长途行军，找到一所寺庙，将军一进去，因为又累又渴，便大声叫嚷，要人端茶出来，一位小和尚端上一大碗的冷茶，将军喝完之后还觉得意犹未尽；第二次时小和尚端出了一碗温茶，第三次，小和尚端上了小碗的热茶，将军喝完之后，便纳闷地问小和尚，为何三次呈上的茶水，容器大小及温度皆不同。小和尚答道："将军长途跋涉，口渴之际，大碗的冷茶最能解渴，至于第二碗，就不再适宜喝冷茶，免得胃寒，所以我用中碗装着温茶奉上。待将军喝完两碗茶水之后，不会再急着牛饮，我才呈上小杯的热茶，不至于烫伤将军的唇舌，又可借由茶香，恢复将军旅途劳顿后的精神。"丰臣秀吉听完之后，立刻要求小和尚加入他的军队。这个小和尚后来成为丰臣秀吉最心爱的大将之一。

看完了这个故事，相信你已经了解了那位小和尚的用心，连这种小细节也不放过，足见他的智能所在。

的确，有心的人总是能看到别人所看不到的地方，想到别人所想不到的地方。因为用心，他们往往会比常人多一份感悟，深一层体会，进而在生活、为人、处世、做事等各个方面都表现出极其认真，并且能把事情做到尽善尽美，也只有用心的人才能真正将事情做好，而他们对于事情的那种用心的态度往往也是最打动人心的。

做个有心人去生活，生活才能过得舒坦。世事繁杂，俗事、琐事、杂事缠身，在红尘中难得一丝清闲，但做个有心生活的人，就会懂得生活，做一个可在滚滚红尘中"众人皆醉我独醒"的高人，做一个脚踏实地、游刃于生活的人。而此时，生活也自会为你敞开一扇大门，让你尽情领略生活的醇香，感受人情的抚慰。

做个有心的人，不为大事惊扰，不为小事烦恼；做个有心的人，可看清是非，识别善恶；做个有心的人，可身在局内享受乐趣，可抽身局外，跳脱窘困。做一个有个性的人、有修为的人、有质量的人、高尚的人、大气的人。你才会是个成功的人。

生于忧患，死于安乐

1996 年世界爱鸟日这一天，芬兰维多利亚国家公园应广大市民的要求，放飞了一只在笼子里关了 4 年的秃鹰。3 天后，当那些爱鸟者们还在为自己的善举津津乐道时，一位游客在距公园不远处的一片小树林里发现了这只秃鹰的尸体。解剖发现，秃鹰死于饥饿。

无独有偶。一位动物学家在考察生活于非洲奥兰治河两岸的动物时，注意到河东岸和河西岸的羚羊大不一样，河东岸的羚羊繁殖能力比河西岸的羚羊更强，而且河东岸的羚羊奔跑的速度每分钟比河西岸的羚羊要快 13 米。他感到十分奇怪，既然环境和食物都相同，何以差别如此之大呢？为了能解开其中之谜，动物学家和当地动物保护协会进行了一项实验：在两岸分别捉到 10 只羚羊送到对岸生活。

结果，送到西岸的羚羊发展到 14 只，而送到东岸的羚羊只剩下了 3 只，另外 7 只被狼吃掉了。谜底终于被揭开，原来，东岸的羚羊之所以身体强健，只因为它们附近居住着一个狼群，这使羚羊天天处在一个"竞争氛围"中。为了生存下去，它们变得越来越有"战斗力"。而西岸的羚羊长得弱不禁风，恰恰就是因为缺少天敌，没有生存压力。

发生在动物界的故事，给我们提了一个醒：生活在安逸中的人会逐渐丧失战斗力，生活在竞争中的人却能发挥出超常的潜能。

但是生活中，随处可见这样的人，他们一生都做着简单平常的事情，他们满足于现状，他们不喜欢竞争，甚至还会逃避竞争。但实际上，如果能参与到竞争中来，他们完全有能力干出一番事业来。

因为竞争可以激励我们内心的不安分，融入一个竞争的氛围，可以激发我们的雄心壮志，它督促我们去实现目标，帮助我们抵制那些足以毁灭我们前途的诱惑。

奥里林·马登送给每个美国年轻人一句忠告，那就是米开朗琪罗写在拉斐尔工作室的一个精巧塑像下面的那句话："做一个更了不起的人。"他建议每个年轻人都把这句名言镶在镜框里，悬挂在店铺里、办公室中和工厂里，悬挂在一个随时可以提示自己的地方。要成为一个更了不起的人，就要在竞争中磨砺自己，让自己一次次变得更好。

我们曾经经历过中考、高考的竞争，步入社会参加工作的时候又会遇到面试和职场技能的竞争，在这样的竞争中我们会成功，也会失败。成功是一份难得的经历，失败则是一笔宝贵的财富。我们应在竞争、失利中练就我们承担挫折的勇气，为以后人生的成功做好铺垫。

日本大企业家松下幸之助对此理念、阐述得最透彻，他说："跌倒了就要站起来，而且更要往前走。跌倒了站起来只是半个人，站起来后再往前走才是完整的人。"

日本三洋电机公司顾问后藤清一，曾在松下电器公司担任厂长，当时松下幸之助就给了他最好的教育机会。有一天，日本遭逢有史以来最狂暴的台风，虽无人员伤亡，但工厂却几近全毁。后藤心想：好不容易迁到新厂，正想全力生产、大干特干时，却遭此打击，老板的心里一定很沮丧吧！

松下是在台风即将停止之前赶到工厂的，此时恰逢松下夫人因身体不适而住院，他是探病后再赶来的。

"报告老板，不得了，工厂遭逢巨变，损失惨重，我来当向导，请巡视工厂一趟吧！"

"不必了，不要紧，不要紧。"

听到这句话后，后藤很惊讶。接着他们便彼此无语。

老板手中握着纸扇，仔细地端详它，横看、纵看，神情十分冷静。

"不要紧，不要紧。后藤君，跌倒就应爬起来。婴儿若不跌倒也就永远学不会走路。孩子也是，跌倒了就应立即站起来，号哭是没有用的，不是吗？"

一个人要有所成，就要经历残酷的竞争，在竞争中就必定会经受失败的折磨，只有忍受失败的折磨，在失败中锻炼自己、丰富自己，使自己更强大、更稳健，这样才能水到渠成地走向成功。

人生先有方向，后能稳定立世

比塞尔是西撒哈拉沙漠中的一颗明珠，每年有数以万计的旅游者来到这儿。可是在肯·莱文发现它之前，这里还是一个封闭而落后的地方。这儿的人没有一个走出过大漠，据说不是他们不愿离开这块贫瘠的土地，而是曾经有人尝试过很多次都没有走出去。

肯·莱文当然不相信这种说法。他用手语向这儿的人问原因，结果每个人的回答都一样：从这儿无论向哪个方向走，最后还是转回到出发的地方。为了证实这种说法，他做了一次试验，从比塞尔村向北走，结果三天半就走了出来。

比塞尔人为什么走不出来呢？肯·莱文非常纳闷，最后他只得雇一个比塞尔人，让他带路，看看到底是怎么回事？他们带了半个月的水，牵了两峰骆驼，肯·莱文收起指南针等现代设备，只挂一根木棍跟在后面。

10天过去了，他们走了大约800英里的路程，第11天早晨，果然又回到了比塞尔。

这一次肯·莱文终于明白了，比塞尔人之所以走不出大漠，是因为他们根本就不认识北斗星。在一望无际的沙漠里，一个人如果凭着感觉往前走，他会走出许多大小不一的圆圈，最后的足迹十有八九是一把卷尺的形状。比塞尔村处在浩瀚的沙漠中间，方圆上千公里没有一点参照物，若不认识北斗星又没有指南针，想走出沙漠，确实是不可能的。

肯·莱文在离开比塞尔时，带了一位叫阿古特尔的青年，就是上次和他合作的人。他告诉这位汉子，只要你白天休息，夜晚朝着北面那颗星走，就能走出沙漠。阿古特尔照着去做了，三天之后果然来到了大漠的边缘。阿古特尔因此成为比塞尔的开拓者，他的铜像被竖在小城的中央。铜像的底座上刻着一行字：新生活是从选定方向开始的。

人生自然有自我存在的价值，选择一个目标，也等于明确了人生的方向，这样才不至于迷失。

人生的方向，也即人生的哲学。一个人没有自己的人生观，没有人生的方向，没有确定自己活着究竟要做一个什么样的人，究竟要做什么事，跟着环境在转，这就犯了庄子所说的"所存于己者未定"的毛病。一个人对于自己人生的方向都没有确定，那是人生最悲哀的事。

一个辉煌的人生在很大程度上取决于人生的方向，个人的幸福生活也离不开方向的指引。确立人生的方向是人一生中最值得认真去做的事情。你不仅需要自我反省、向人请教"我是什么样的人"，还需要很清楚地知道"我究竟需要什么"，包括想成就什么样的事业、结交什么样的朋友、培养和保留什么样的兴趣爱好、过一种什么样的生活？这些选择既是相对独立的，又是在一个系统内的，彼此是呼应的，从而共同形成人生的方向。

摩西奶奶是美国弗吉尼亚州的一位农妇，76 岁时因关节炎放弃农活，这时她又给了自己一个新的人生方向，开始了她梦寐以求的绘画。80 岁时，到纽约举办画展，引起了意外的轰动。她活了 101 岁，一生留下绘画作品 600 余幅，在生命的最后一年还画了 40 多幅。

不仅如此，摩西奶奶的行动也影响到了日本大作家渡边淳一。渡边淳一从小就喜欢文学，可是大学毕业后，他一直在一家医院里工作，这让他感到很别扭。马上就 30 岁了，他不知该不该放弃那份令人讨厌却收入稳定的职业，以便从事自己喜欢的写作。于是他给耳闻已久的摩西奶奶写了一封信，希望得到她的指点。摩西奶奶很感兴趣，当即给他寄了一张明信片，她在上面写下这么一句话："做你喜欢做的事，上帝会高兴地帮你打开成功之门，哪怕你现在已经 80 岁了。"

人生是一段旅程，方向很重要，每个人都可以掌握自己人生的方向。找到人生方向的人是最快乐的人，他们在每天的生活中体验这些，追求一种能令他们愉悦和满意的生活，他们的生活是与他们所向往的人生方向相一致的，对人生方向的追求使他们的生命更加有意义。

在寻找自己的人生方向过程中，应不断地作出总结，这并不是说你正处于一个人生的危急关头，不得不在你未来的目标和你的职业道路之间做出一个选择，而是从一开始就给自己选定人生的方向，这才是最关键的人生问题。

身轻失天下，自重方存身

有两个空布袋，想站起来，便一同去请教上帝。上帝对它们说，要想站起来，有两种方法，一种是得自己肚里有东西；另一种是让别人看上你，一手把你提起来。于是，一个空布袋选择了第一种方法，高高兴兴地往袋里装东西，等袋里的东西快装满时，袋子稳稳当当地站了起来。另一个空布袋想，往袋里装东西，多辛苦，还不如等人把自己提起来，于是它舒舒服服地躺了下来，等着有人看上它。它等啊等啊，终于有一个人在它身边停了下来。那人弯了一下腰，用手把空布袋提起来。空布袋兴奋极了，心想，我终于可以轻轻松松地站起来了。那人见布袋里什么东西也没有，便一手把它扔了。

有的人不能自知修身涵养的重要，犯了不知自重的错误，不择手段，只图眼前攫取功利，不但轻易失去了名利，同时也戕杀了自己，犯了"轻则失本，躁则失君"的大错。

如果你始终戒慎畏惧，随时随地存着济世救人的责任感，能做到功在天下、万民载德，自然会荣光无限，正如隋炀帝杨广所说的："我本无心求富贵，谁知富贵迫人来。"道家老子的哲学，看透了"重为轻根，静为躁君"和"祸者福之所倚，福者祸之所伏"自然反复演变的法则，所以才提出"虽有荣观，燕处超然"的告诫。

虽然处在"荣观"之中，仍然恬淡虚无，不改本来的素朴；虽然依然安处在荣华富贵之中，依然超然物外，不以功名富贵而累其心。能够到此境界，方为真正超脱之士，奈何世上少有人及，老子感叹："奈何万乘之主，而以身轻天下。"

提及身轻失天下，不由想到了新朝王莽。当了十五年新朝皇帝的王莽，是近两千年来中国历史上争议最多的人物之一，有人把他比作"周公再世"，是忠臣孝子的楷模，有人把他看成"曹瞒前身"，是奸雄贼子的榜首。白居易一语道破天机："向使当初身便死，一生真伪复谁知！"

王莽是皇太后王政君弟弟王曼的儿子，父辈中九人封侯，父亲早死，孤苦伶仃。与同族同辈中声色犬马的纨绔子弟相比，王莽聪明伶俐，孝母尊嫂，生活俭朴，饱读诗书，结交贤士，声名远播。他曾几个月衣不解带地悉心侍候伯父王凤，深得这位大司马大将军的疼爱。加官晋爵后的王莽依旧行为恭谨，生活俭朴，深得赞誉。正当王莽踌躇满志之时，成帝去世，哀帝即位，王莽的靠山王政君被尊为太皇太后，失去了权力，王莽下野，并一度回到了自己的封国。这段期间，王莽依然克己节俭，结交儒生，韬光养晦。为了堵住悠悠之口，哀帝以侍候王太后的名义，把王莽重新召回到京师。

随着年仅九岁的汉平帝即位，王莽将军国大政独揽一身，其野心也急剧膨胀。而后，一心想当帝王的王莽，假借天命，征集天下通今博古之士及吏民四十八万人齐集京师，"告安汉公莽为皇帝"的天书应运而生，王莽也理所应当地由"安汉公"而变为摄皇帝、假皇帝。"司马昭之心，路人皆知。"在平定了几多叛乱之后，王莽宣布接受天命，改国号为"新"。

称帝后，他仿照周朝推行新政，屡次改变币制，更改官制与官名，削夺刘氏贵族的权力，引发豪强不满；他鄙夷边疆藩属，将其削王为侯，导致边疆战乱不断；赋役繁重，统治苛暴，加之黄河改道，以致饿殍遍野。王莽最终在绿林军攻入长安之时于混乱中为商人杜吴所杀，新朝随之覆灭。

不以一己私利而谋天下大众的大利，立大业于天下，才不负生命的价值。可惜大多数人，只图眼前私利而困于个人权势的欲望中，而不能自拔。

要知道，身轻失天下，自重方存身。

第二章　习新，习精，习业

有新意，危机就能变良机

卡内基是美国一钢铁公司的老板。他一直想有大的发展，兼并一些大的钢铁公司，但一直未能如愿。后来，美国全国性的罢工越来越多，所有的钢铁企业包括卡内基的公司都受到强烈的冲击。对一般人来说，这是个大问题。而聪明的卡内基却感到：机会来了。他积极采取得力措施，使公司尽快从罢工问题中解脱出来。

卡内基积累了处理罢工问题的经验，同时积极储备资金。在此基础上，他密切注意各个竞争对手的状况，抓住机会，将这些处于罢工困境中的公司一家家兼并过来。卡内基的公司获得了跳跃式的发展，其钢铁产品在全国市场上的占有率从 1/7 一跃而为 1/3，成为美国最大的钢铁公司。

卡内基的成功是一个把危机变成转机的经典案例。在中文里，"危机"这个词是由两个字组成的，"危"字的意思是"危险"，"机"字则可以理解为"机遇"。通常，保守胆怯的人只看到"危险"，而看不到"机遇"；那些胆大心细，敢于创新，善于把握机遇的人，就能拨开危险的迷雾抓住机遇，而抓住机遇离成功也就不远了。

商战中像这样的事例并不少见，下面让我们看看柯达公司是如何在一场商战中打败富士的吧。

日本富士胶片公司在1984年的洛杉矶奥运会上，酝酿了一个打败头号竞争对手柯达公司的计划，要从这个最大的胶片制造商手中抢夺市场。作为该计划的一部分，富士投入数百万美元，获得了洛杉矶奥运会胶卷指定产品的资格。

柯达公司由于先期重视不够，并没有投入多大的人力物力。当发觉富士公司正以咄咄逼人的态势杀过来时，木已成舟，为时晚矣。仅此一举，柯达已被排斥在全球最重要的体育盛会之外，从而失去了极大的市场。公司决策者们一筹莫展，后来，在公司一位中层雇员的建议下，柯达找到了国际管理集团，请他们帮忙想一想"粉碎富士进攻"的策略和办法。

这家公司发现富士公司的"独占性"并没有包括洛杉矶奥运会的全阶段，他们只是"独占"了奥运会举办的那两周时间。

所以，这家公司建议柯达公司将其宣传重点放在奥运会举办前那狂热的6个月中。

在此期间，柯达赞助了美国田径队，并聘用了一批有希望获得金牌的运动员为其宣传，还赞助了奥运会举办前的田径选拔赛，整个洛杉矶遍布柯达的出版物、电视片及张贴广告。待奥运会来临，许多运动营销专家甚至没有注意到富士，还以为是柯达赞助了这届奥运会呢！

柯达公司的高明之处就在于，用全新的创意把握住了变化中的机会。他们没有把目光局限于富士公司已经获得了奥运会胶卷指定产品资格这一不利的消息，而是主动出击，将问题的突破口选在了奥运会举办前 6 个月这段时期，从而化被动为主动，一举扭转了局势。柯达公司后发制人，挫败劲敌富士的例子为我们如何摆脱不利局面，把危机变成转机上了生动的一课。

危机之中蕴含着机遇。强者能够在危机中看到转机，变被动为主动。所以，只要有新意，危机就能变良机。

向优秀者学习，使自己变得更加优秀

微软公司的学习理念是：70% 的学习在工作中获得，20% 的学习从经理、同事那里获得，10% 的学习从专业培训中获得。也就是说，要想提高自己的能力，必须学会随时地向他人学习。我们要善于向身边的人学习，尤其是向比自己优秀的人学习，借鉴他们科学的工作方法，汲取他们成功和失败的经验和教训，从而完善自己，使自己变得更加优秀。

1500 年，意大利佛罗伦萨采掘到一块质地精美的大理石，它的自然外观很适于雕刻一个人像。但大理石在那里放了很久，没有人敢动手。一位雕刻师来了，但他只在后面打了一凿，就感到自己无力驾驭这块宝贵的材料而住手了。

后来雕刻家米开朗琪罗用这块大理石雕出了杰作"大卫像"。没想到先前那位雕刻家的一凿打重了，伤及了人像肌体，竟在大卫的背上留下了一点伤痕。

有人问米开朗琪罗："那位雕刻家是否太冒失？"

"不，"米开朗琪罗说，"那位先生相当慎重，如果他冒失轻率，这块材料早已不存在了，我的大卫像也就无从产生。这点伤痕对我未尝没有好处，因为它无时无刻不在提醒我，每下一刀一凿都不能有丝毫的疏忽。在我雕刻大卫的过程中，那位老师自始至终都在我的身边帮我提高警惕。"

子曰："三人行必有我师。"每个人都有自己的特长，都值得我们去学习。一起工作的同事都可能是我们的老师。他们的经验教训值得我们借鉴与学习，他们的长处同样是我们应该时刻学习的。我们应该以谦虚的态度向身边每一个人学习。

在工作中，"闻道有先后"，不同的工作历练有不同的工作心得。而对于自己工作有所期待、对工作愿意有所付出的人，在职场里找个好的"工作老师"，不失为一种可以尝试的好方法。

在广告公司任职的宝琳，进入广告这一行已15年，拥有丰富的工作经验。宝琳最初的主管是一个要求相当严格的人，除了教会她提案、抢案的本事之外，还教会她如何与客户维持良好关系的方法。宝琳最大的收获是：工作上找一个好老师是可遇不可求的事。

尤其在竞争激烈的环境里，尔虞我诈的关系不容易了解时，行事更要小心。从此，宝琳每换一份新工作，先观察，再锁定目标，看看有谁在工作上、在为人处世上可供学习。

向周围的人学习，不仅能帮助你在专业领域内得到提高，还可以激发自我学习的动力。因为周围的人大多数是与你的条件或目标类似的人，相似性与可比性使得他们的成绩特别具有说服力，能够达到激励自己的目的。但工作与学习兼顾是非常辛苦的事情，需要顽强的意志，没有强大的精神动力是很难坚持的。在与他人竞争的条件下，很容易克服倦怠和懒惰的心理，激发学习的热情与持之以恒的毅力。

平庸的人看不到自己的不足，同时也不愿承认别人的优秀，他们身上缺少虚心向他人学习的精神。殊不知，我们身边的人都是我们的老师。汲取他们失败的教训，可以使我们少走很多弯路，学习他们的优点与长处使我们变得更加优秀。

善于总结失败，在错误中不断学习

有人曾问一个孩子是怎样学会溜冰的。那孩子回答说："哦，跌倒了爬起来，爬起来再跌倒……就学成了。"邓亚萍的教练惠均在总结邓亚萍的成功之路时说："在不熟悉的情况下，邓亚萍有可能输在不知名的选手手下，但下次你就别想再胜她，因为她最善于从失败中吸取教训，并找到战胜对手的诀窍。"一个记者采访爱迪生时问道："在发明灯泡的过程中你失败了10000多次，为什么还有勇气继续下去？"爱迪生笑了笑说："不，我并没有失败，我只是发现了 10000 多种不能做灯丝的材料。"

爱迪生的话一语中的。失败是一种反馈，在你还没有找到合适的成功方法之前，吸取教训是最重要的。有人曾经把"不幸"比喻为一笔财富。其实，你对待失败也应采取这种态度。当你把教训看作财富，你在失败中会学到许多平时学不到的东西。

美国人戴维·迈利民说："我在事业上犯过很多错误，每一次错误都是一个老师，从自己的错误和别人的错误中吸取教训，那就是精明。"

一家商贸公司的市场部经理，在没经过仔细调查研究就批复了一个员工为国外某公司生产 3 万台空调的报告。等产品生产出来准备报关时，公司才知道那个员工早已被"猎头"公司挖走了，那批货如果一到目的地，就会消失得无影无踪，货款自然也会打水漂。

市场部经理一时想不出补救对策，在办公室里焦虑不安。这时老板走了进来，见他的脸色非常难看，就想问他怎么回事。还没等老板开口，市场部经理坦诚地讲述了一切，并主动认错："这是我的失误，我一定会尽最大努力挽回损失。"

市场部经理的坦诚和敢于承担责任的勇气打动了老板，老板答应了他的请求，并拨出一笔款让他到国外去考察一番。经过努力，他联系好了另一家客户。两个月后，这批空调以更高的价格卖了出去。市场部经理的努力得到了回报。

松下幸之助曾说："偶尔犯了错误无可厚非，但从处理错误的方法，我们可以看清楚一个人。"老板欣赏的是那些承认自己错误，及时改正错误并加以补救的员工。"吃一堑，长一智"不是一句空洞的口号，而是要你在犯了错误后，认真总结经验教训，以免日后工作中再犯相同的错误。每个人都不可避免地在工作中犯这样那样的错误，但我们可以把握的是，在失败中探究我们所犯的错误，发现实质问题以警醒自我。

反败为胜，超越失败的重要条件，就是要善于从挫折或失败中总结经验教训。我们应当从痛苦的教训中学习如何反败为胜。从普通士兵成长为元帅的莫尔特克说过："我经常以极大的兴趣观察青年们的失败，青年的失败正是成长的标志。他如何看待失败呢？今后他又会怎样做呢？善罢甘休吗？还是更加奋勇前进呢？这些将决定他的生涯。"可以说，积累失败的教训，这正是向成功跨出的重要一步。

"吃一堑，长一智"，吸取教训是非常重要的。但是"吃一堑"不会自动地"长一智"，关键还要看你能否变"教训"为"知识"。成功来自于在错误中不断学习。只要你能从错误中吸取教训，便不会重蹈覆辙。

只需精一事，不必通万物

《荀子·劝学》《礼记·劝学》以及东汉蔡邕《劝学篇》中都提到了一种小动物——"多才多艺"而又样样"稀松平常"的鼫鼠。"鼫鼠五能不能成一技。五技者，能飞不能上屋，能缘不能穷木，能泅不能渡渎。能走不能绝人，能藏不能覆身是也。"能飞却飞不过屋顶；能攀而攀不上树梢；能游而游不过小水沟；能跑而赶不上人走；能藏而不能"覆身"。这就是五技而穷的鼯鼠的悲哀。

　　鼯鼠掌握了五种技能：飞翔、游泳、攀树、奔跑和掘洞。它为此感到非常自豪：在动物世界里，有谁像我这样多才多艺？雄鹰飞得高，但它会游泳、掘洞、攀树、奔跑吗？老虎跑得快，但它会飞翔、游泳、攀树、掘洞吗？海豚是游泳能手，但它会其他四种技能吗？鼯鼠把自己和各种动物都比了个遍，越比越觉得自己的本领高，越比越觉得自己了不起。在它看来，老虎当兽中之王，雄鹰为鸟中之王，都是徒有虚名而已。真正的动物首领，非它莫属。

　　然而，人们还是把它与老鼠并列，划入啮齿目；又将它与弱小动物排在一起，归进松鼠科。

　　鼯鼠为此愤愤不平："胡闹，胡闹！老鼠、松鼠算什么东西？我可是动物中的通才、全才啊！"有一天，鼯鼠正在向几只老鼠炫耀自己的五种技能，突然，一只老虎出现在它面前："小兄弟，你在说什么？"

　　鼯鼠吓得魂飞魄散，撒腿就跑。但是，它用尽力气跑了半天，老虎几步就追上来了。没办法，它慌忙爬上一棵树，这时，一只金钱豹又蹿了过来，三下两下就蹿上了树顶。情急之中，鼯鼠张开四肢飞到空中。但是，它的"翅膀"并不能像鸟一样扇动，只能滑翔。一只雄鹰轻轻扇了两下翅膀，眼看就要抓住它。无路可走了，鼯鼠"扑通"一声钻进水里。它刚想喘口气，一只水獭已箭一般地向它扑来。鼯鼠狼狈地爬上岸，伸出利爪掘洞藏身。水獭跟踪追来，没费吹灰之力，就扒开了它的洞穴，把它抓在手中。

　　"兄弟，我想领教领教，你还有什么招数吗？"水獭讥讽地问。

　　鼯鼠浑身像筛糠一样颤抖不止，后悔不迭地说："拥有一身平庸的本领，不如掌握一件过硬的技巧啊！"

总想成为掌握多种技能的多面手，最后却往往什么也不专精。

人都喜欢贪多，却不明白一个道理：贪多而"消化不良"反而会一无所获。正如鼯鼠的感悟所得："业广不如业专。"与其掌握许多平庸的本领，不如精通一门过硬的技术。

在就业成为一个大问题的今天，高级技工却十分抢手，这是因为技术密度极大的工作需要精通一门技术的人去做，技术专是对我们提出的一个更高的要求。所以，当我们忙着去学习各种各样的知识技能，考取各种各样的证书时，不妨冷静地想一想，挑出最适合自己的、最有前途的一门，专心致志地在这一方面学好学精，这才是我们最好的出路。

精益求精，方可持续专精

北宋时期有一位小"神童"，名叫方仲永，家里世世代代以耕田为生，祖祖辈辈都是大字不识的农民，而方仲永却从小就天资过人。

仲永长到五岁时，其实一直都不曾认识笔、墨、纸、砚。有一天，他忽然放声哭着要这些东西。父亲对此感到惊异，于是从邻近人家借来给他。仲永拿着这些东西，当即写了四句诗，并且题上自己的名字。这首诗以赡养父母、团结同宗族的人为内容，传送给全乡的秀才们观赏。大家都特别惊讶一个五岁的孩童竟能写出如此优秀的诗文。

从此，大家开始指定物品让他作诗，而每次他都能立即写好，并且诗的文采和道理都有值得看的地方。同县的人对他感到惊奇，渐渐地把他的父亲当作宾客一样招待，有的人还花钱求仲永题诗。那些有钱人家经常邀请方仲永到自己家来，一方面是为了目睹一下这位神童的才华，另一方面也是显示一下自己爱惜人才。当然，每当方仲永走的时候，那些有钱人家都会给一些钱以表心意。

方仲永的父亲恰恰是一个十分爱钱的人，自然而然地方仲永当成了一棵摇钱树。当没有人邀请的时候，他就领着方仲永主动登门拜访，以求得人家给点小钱。

他的父亲沾沾自喜，认为这样有利可图，于是开始每天拉着仲永四处拜访同县的人，把时间都花在这上面，不再让他学习。

由于整天跟着父亲东家进西家出，方仲永的学业荒废了。他没有时间像别的孩子一样在学堂里念书，继续学习，而是完全浪费在了东奔西走，卖弄文采上。他在诗歌方面的才华，由于没有坚持下去加以培养，也渐渐地"不进则退"了。

当方仲永长到二十多岁的时候，他已经完全没有作诗的天赋了，还比一般同龄读书人相去甚远。一个神童就这样慢慢地变为普通人了。

天资聪明的方仲永，最后却成为一个庸庸碌碌的普通人，这是多么大的遗憾啊！我们为其扼腕的同时，不禁要思考这遗憾背后的原因。毫无疑问，就是因为方仲永的爸爸目光短浅、满足于眼前的小利，没有让方仲永坚持继续学习，因而让他在这条路上不但没有越来越优秀，反而一直无限制地消耗现有的天资，最终消耗殆尽。

这说明一个道理，一个人就算天资再高，在某一方面多么专精，都不能停止继续学习，一旦离开持续的学习更新，不断地掏老本，则会不进则退，最终把自己精通的东西荒废于无形。精益求精，方可持续专精，即是这个道理。试想一下，如果方仲永接受了良好的后天教育，那么说不定我们中国古代又会多一位伟大的文学家，名垂史册。方仲永也就不会像一颗流星，只有瞬间的光芒，转瞬即逝了。

在各行各业中，会有很多人像方仲永一样，在某一方面拥有独特的才能，但如果这些人也像方仲永一样不再继续学习，那么他们本来专精的事物就会慢慢地消失殆尽，因为周围的人都在充电，都在不断学习，即使本身才能不是很高，没有任何天赋，在经历后天勤奋努力学习之后，他们不断克服自己的不足，一步步精益求精，最终也会成为非常有才干的人，并在某个领域内独树一帜。

我们每个人都一样，如果你在某方面特别精通的话，请一定要坚持继续学习，让自己的"精英"地位永远存在！要相信，只有保持专精，精益求精，你才有长期立足的可能！虽然你本身已经很优秀了，但一定要在保持的基础上继续创新、继续改进，争取做到最好！

用心而不散乱，聚精而不分心

有一次，罗丹和他的一位奥地利朋友一起来到工作室。在那间有着大窗户的简朴的屋子里，有完成的雕像，有许许多多小塑样：一只胳膊，一只手，有的只是一只手指或者指节，有他已动工而搁下的雕像，堆着草图的桌子。这间屋子是罗丹一生不断地追求与劳作的地方。

罗丹罩上了粗布工作衫，就好像变成了一个工人。他在一个台架前停下。

"这是我的近作。"他说着，把湿布揭开，现出一座女正身像。

"这已完工了吧？"朋友说道。

罗丹退后一步，仔细看着。但是在审视片刻之后，他低语了一句："这肩上线条还是太粗。对不起……"

他拿起刮刀、木刀片轻轻滑过软和的黏土，给肌肉一种更柔美的光泽。他健壮的手动起来了，他的眼睛闪耀着。"还有那里……还有那里……"他又修改了一下。他把台架转过来，含糊地吐着奇异的喉音。他时而高兴得眼睛发亮，时而苦恼地蹙着双眉。他捏好小块的黏土，粘在雕像身上，刮开一些。

罗丹已经完全融入自己的雕塑世界，外界的一切好像已经对他失去了任何意义。这样过了半点钟，一点钟……他没有再向他的奥地利朋友说过一句话。他忘掉了一切，除了他要创造的更崇高的形体的意象。他专注于他的工作，犹如在创世之初的上帝。

最后，带着喟叹，他扔下刮刀，像一个男子把披肩披到他情人肩上那样温存地把湿布蒙上女正身像。他转身要走，在他快走到门口时，他看见了朋友。他凝视着，就在那时他才记起，他显然为他的失礼感到惊惶："对不起，先生，我完全把你忘记了，可是你知道……"

朋友握着他的手，感谢地紧握着。也许他已领悟朋友所感受到的，因为在他们走出屋子时他微笑了，用手抚着朋友的肩头。

罗丹先生正是出于对自己工作的热爱、完全的投入以及一种对自己负责的使命感，才得以在人类的美术史上留下浓重的一笔，他成为继米开朗琪罗之后雕塑史上的又一座高峰。

综观世间学有专长之人，都是能够用心专一，全力投入的人。柏杨先生便是其中之一，据柏杨先生的妻子张香华女士所说，近十年牢狱生活，柏杨先生所住的"囚室内只有一支悬在天花板上的日光灯"，柏杨先生在这样的情况下，不停地著作，完成了《中国人史纲》《中国帝王皇后亲王公主世系录》和《中国历史年表》三本历史研究丛书。柏杨先生即使在如此恶劣的环境之下，仍然坚持他的创作，无疑已经将他所有的精力都投入到了他的写作事业之中，同时，他因为"光线微弱，过度辛劳和营养不良"，而严重地损坏了眼睛。

即便如此，"柏杨案上永远堆积着做不完的工作"。如此的全心投入，使柏杨先生收获颇丰，他的一位朋友曾经想要请他列出全部著作的名单，但这位多产的人自己也记不清楚到底有多少本作品了。柏杨先生让我们见证了"世上就怕'认真'二字"这一道理。

明代莲池大师在《竹窗随笔》中说道：宋代书法家米芾说过，学习书法必须专一于书法，不要再有其他爱好分心，方能有成就。与此类似的是，古代善于弹琴的人，也说必须专攻两三支曲子，方能进入精妙的境界。这里说的虽是小事，但也可以借喻大的方面。把心集中在一个地方，就没有办不到的事。

佛教主张勤勉精进，对于任何事情都要有一种专注认真的态度，这样才能提升自我，进入佛境。人生只有一次，而且时光短暂易逝，没有比这仅有一次的人生更加值得我们去认真对待的了。不管我们的人生发生什么事情，遇到什么样的人，我们都应该认认真真、专专心心地对待我们生命中的每一分、每一秒，力求将其做到最好。

玛丽是一家大型建筑公司的设计师，常常要跑工地，看现场，还要修改工程的细节。这份工作是异常辛苦的，但她仍然认认真真地去做，毫无怨言。

虽然她是设计部唯一的女性，但她从不因此逃避重体力的工作。该到野外，她就勇往直前；该爬楼梯，就是几十层她也从不畏缩。玛丽对这样的工作从不感到委屈，反而挺自豪。

有一次，上司安排她为客户做一个可行性的设计方案，时间只有三天，接到任务后，玛丽看完现场就开始工作了。三天时间里，她都在一种异常兴奋的状态下度过。

在这期间，她食不甘味，寝不安枕，满脑子都想着如何把这个方案弄好。她到处查资料，虚心向别人请教。三天后，她带着满眼的血丝把设计方案交给了上司，并得到了肯定。因工作认真，玛丽很快得到提升了，薪水也随之翻了三番。

后来，上司告诉她："我知道给你的时间很紧张，但我们必须尽快把设计方案做出来。如果当初你因此推掉这个工作，我可能会把你辞掉。你表现得非常出色，我最欣赏你这样认真工作的人！"

卡耐基说："一般人只投入 25% 的精力和能力在工作上；愿意在工作上投入 50% 以上能力的人，是值得全世界人脱帽致敬的；至于 100% 投入工作的人，可以说，在这个世界上找不出几个。"从这番话中，我们可以看出，认真专注工作的人是相当可贵的。

专注是我们对生活、对人生的一种态度，一个懂得事事都认真的人，一定是一个热爱生活且懂得生活的人。斯蒂芬·茨威格曾说过："一切艺术与伟业的奥妙就在于专注，那是一种精力的高度集中，把易于弥散的意志贯注于一件事情的本领。"一个人如果能做到除了追求完整意志之外把一切都忘掉，把自己完全沉浸于对自我的提升之中，那他就是一个天才，他就能在求知的路上走得更远。

人生不只需要"家事国事天下事，事事关心"，更多的时候需要有"两耳不闻窗外事，一心只读圣贤书"的专注精神。

以 100% 的努力做 1% 的事

通用电气前首席执行官杰克·韦尔奇说过："干事业并不依靠过人的智慧，关键在于你能否全心投入，并且不怕辛苦。实际上，经营一家企业不是一项脑力工作，而是一项体力工作。"事实证明，一个人能够在工作中创造出怎样的成绩，关键不在于这个人的能力是否卓越，也不在于外界的环境是否优越，而在于他是否竭尽全力去工作。一个人只要竭尽全力去工作，即使他所从事的只是简单平凡的工作，即使他的能力并不突出，即使外界条件并不优越，他仍然可以在工作中创造出骄人的成绩。

24 岁的海军军官卡特，应召去见海曼·乔治·里科弗将军。在谈话中，将军非常特别地让他挑选任何他愿意谈的题目。

当他好好发挥完之后，将军就总问他一些问题，结果每每将他问得直冒冷汗。终于他开始明白：他自认为懂得很多的那些东西，其实懂得很少。

结束谈话时，将军问他在海军学校学习成绩怎样，他立即自豪地说："将军，在 820 人的一个班中，我名列 59 名。"

将军皱了皱眉头，问："你竭尽全力了吗？"

"没有，"他坦率地说，"我并不总是竭尽全力的。"

"为什么不竭尽全力呢？"将军大声质问，瞪了他许久。

此话如当头棒喝，给卡特以终生的影响。此后，他事事竭尽全力，后来成为美国总统。

为什么你不是第一名？是不是因为你还没有拿出所有的热情来

全力以赴？李嘉诚曾经说过："做生意不需要学历，重要的是全力以赴。"可见，在我们的工作中，学历和能力并不一定是最重要的，如果你不全力以赴地投入工作，就无法在职场中取得优异的成绩。

　　一个人无论从事何种职业，都应该全心全意、尽职尽责，这不仅是工作的原则，也是人生的原则。很多人工作没有做好，遭到老板批评还一副委屈的模样："我已经尽力了啊！"殊不知，做任何事情要想获得好的结果，就不能仅仅做得差不多就行，而必须全力以赴才行。

　　比利时有一出著名的基督受难舞台剧，演员辛齐格几年如一日在剧中扮演受难的耶稣，他高超的演技与忘我的境界常常让观众不觉得是在看演出，而似乎真的看到了台上再生的耶稣。

　　一天，一对远道而来的夫妇在演出结束之后来到后台，他们想见见扮演耶稣的演员辛齐格，并合影留念。

　　合完影后，丈夫一回头看见了靠在旁边的巨大的木头十字架，这正是辛齐格在舞台上背负的那个道具。

　　丈夫一时兴起，对一旁的妻子说："你帮我照一张背负十字架的相吧。"

　　于是，他走过去，想把十字架拿起来放到自己背上，但他费尽了全力，十字架仍纹丝未动。这时他才发现，那个十字架根本不是道具，而是一个真正橡木做成的沉重的十字架。

　　在使尽了全力之后，那位先生不得不气喘吁吁地放弃。他站起身，一边抹去额头上的汗水，一边对辛齐格说："道具不是假的吗，你为什么要每天都扛着这么重的东西演出呢？"

　　辛齐格说："如果感觉不到十字架的重量，我就演不好这个角色。在舞台上扮演耶稣是我的职业，和道具没有关系。"

成功的人都是全力以赴做事的人。如果我们在工作中无论做什么事都追求尽善尽美，不给自己留丝毫松懈的余地，那么无论我们做什么工作，身陷怎样的困境，处于怎样的平凡岗位，都能在最短的时间内获得成长和发展的机会。一个人如果能够全力以赴，那么再艰难的任务也能很好地完成；相反，如果做不到全力以赴，即便是最简单的任务也做不好。成功者都是全力以赴做事的人。

将专业进行到底，临危受命仍游刃有余

某会展策划公司承接了一个大型会展的项目，老板非常高兴，要知道这个项目做成了，在业内就会很快占领一席之地了。正当公司上上下下都在为即将到来的会展而忙碌的时候，负责项目策划的吴经理突然病倒了，住进了医院。这下公司里就像炸开了锅，离展览会举行只剩下一个月的时间了，能否按期完成任务就成了疑问。这时，老板任命吴经理的助理李凤负责接替项目策划部门经理工作，带领大家做最后的冲刺。李凤进行会展策划的水平是部门最强的，这是一个展示自己能力再好不过的时机，同时也是对公司的发展具有关键性作用的时候，于是，李凤尽管备感压力，还是鼓足勇气接下这个任务。

会展策划是一个高度依赖团队协作的项目，必须要求团队的每个成员群策群力，把握好每个细小的环节才能最终完成。李凤要求部门的员工都各自提出方案，等大家按时交上来之后，她再综合大

家的思路确定最终要提交老板的方案。得到老板肯定后，立即分工明确，采取责任到人的方式将展会布置的各项工作落实到每个人的头上。半个月后，会展如期顺利地举行。由于各项工作精心布置、安排周密，得到了老板以及部门员工的赞赏。

李凤的成功，来自她过硬的专业能力，也正是她的专业，让她在临危受命时仍能游刃有余。所以，当一个人自身专业能力够强时，所有的危机对他来说都可能是机遇，所有的困难对他来说都可能是走向成功的垫脚石，一个人要想成为一个举足轻重的人，就得要有强大的专业能力。越专业，你才能越强大。而你越强大，你的公司就会越重视你，你的地位就越无人能够取代。

职场如战场，风云变幻，当你所在的公司处于风雨飘摇，几乎无人有足够的专业水平独撑大局的时刻，老板希望你能够力挽狂澜、临危受命，你是后退拒绝呢？还是有足够的勇气迎接挑战呢？摆在你面前的是两难的选择，克敌制胜的法宝只有自己过硬的专业水准，以及敢于接受挑战的勇气和信心。

李·艾柯卡是美国汽车业的传奇人物：他从一文不名的推销员做起，登上了美国福特公司总经理的宝座；后遭到排挤，离开了福特公司。在即将退休时，他临危受命，来到濒临破产边缘的克莱斯勒公司出任总裁，承担起重振公司的重任。艾柯卡来到克莱斯勒汽车公司后主动出击，大刀阔斧地对公司进行整改，并向政府寻求支持，他利用一切机会说服国会议员，取得了巨额贷款，从而使公司得到了重振的绝佳机会。

在艾柯卡的率领下，克莱斯勒汽车公司在经营最惨淡的那段日子里推出了 K 型车，K 型车计划的成功使克莱斯勒汽车公司起死回生，成为仅次于通用汽车公司、福特汽车公司的美国第三大汽车公司。终于到了这一天，作为克莱斯勒汽车公司总经理的艾柯卡，把一张面额高达 813 亿美元的支票交到银行代表手里，至此，克莱斯勒汽车公司还清了所有债务。要知道，这比他们当初预计的日期整整提前了 12 年。事后，艾柯卡满怀深情地说："积极主动、奋力向前，哪怕时运不济！积极主动、永不绝望，哪怕天崩地裂！"

　　艾柯卡的事例告诉我们，再困难的环境也会有转机，只要面对问题不逃避，勇挑重担，总会找到解决问题的办法。在面对困难之时，你自身的专业能力会释放出能量，解决一个又一个问题，而在这过程中，你得到了更多的磨炼，而你的专业能力也随之得到新的提高，这样的良性循环，对你的职业生涯乃至你的整个人生来说，是多么可贵啊！

　　现在，社会分工越来越细，横跨多个领域的高手毕竟只是少数，那么，我们要为自己设定一个目标，这个目标就是努力提升你的专业能力。哪怕是临危受命，自己仍能够凭借专业的业务水平独当一面。临危受命，信心、勇气是必不可少的。但是也要明白，只有信心、勇气还是不够的，专业能力的提升更是至关重要。

专心一意，必能补拙

　　有这样一个人，他从小文科成绩都是红字连篇。他的读写速度很慢，英文课需要阅读经典名著时，只能从漫画版本下手，以求低空过关。他常常说："我的脑袋里有想法，但是却没有办法将它写出来。"后来，医生诊断他患有识字障碍。之后他凭借优异的数理成绩，进入美国名校斯坦福大学就读。他发现商业课程对他而言比较容易，于是他选择主修经济，在英文及法文仍然不及格的同时，全力投注于商学领域，获得工商管理学学位。毕业时，他向叔叔借了 10 万美元，想自己创业。他于 1974 年在旧金山创立的公司，如今已是世界五百强企业，拥有 26 万多名员工。

他就是施瓦布，嘉信理财的董事长兼首席执行官。现在，施瓦布的读写能力仍然不佳，他阅读时必须念出来才行，有时候一本书要看六七次才能理解，写字时也必须以口述的方式，借助电脑软件完成。

一个先天学习能力不足的人，何以能成就一番事业？施瓦布的答案是：由于学习上的障碍，让他比别人更懂得专注和用功。

"我不会同时想着 18 个不同的点子，我只专注于某些领域，并且用心钻研。"他说。这种"一次只做一件事"的专注态度，也体现在嘉信 27 年的历史中。当其他金融服务公司将顾客锁定于富裕的投资者时，嘉信推出平价服务，专心耕耘一般大众的投资市场，终于开花结果。之后随着科技的进步及顾客的成长，嘉信于每个时期都有专心投注的目标。它许多阶段的努力成果，成为业界模仿的对象，在金融业立下一个个里程碑。

无论做任何事，专心致志地完成自己已锁定的目标，才是成事之道。任何在某一事业上有所成就的人不一定都是智慧高超的人，但都是对自己所做的每一件事情极其专注的人！的确，成功来源于专注。唐太宗李世民就曾说过："这世上最可怕的武器不是切金断玉的宝刀，而是一个人坚定不移的信念。如果一群人拥有一个共同的信念，而去专注一件事，则可以主宰一切，也可以摧毁一切！"

陈寅恪先生作为中国近现代史上著名的国学大师，在历史学、古典文学、语言学等方面都卓有建树，其知识面之广令人赞叹不已。但陈先生强调自己虽然涉及的领域较多，但在学习时最主要的是做到专心一意，他说人在同一个时间只能做好一件事情，我们也只有将有限的时间和精力都投入到一件事情上才能将这件事情做到最好。在做一件事情的同时又做另一件事情的结果则只能是两件事情都做不好，学习容不得半点马虎，只有做到专心一意，才能事半功倍。

俗话常说在做事情时，"一心不可二用"。孔子说"术业有专攻"，意思就是说各行各业都有自己的"门道"，之所以需要专攻是因为人的时间和精力都是有限的，为了把一件事情做到最好就需要我们集中力量，做到一心一意。

人一生的时间和精力都是极其有限的，如果我们想去成就一件事情，就必须将自己仅有的时间和精力集中地投入到一件事情中去，对于学习来说更是如此。只有踏踏实实、一心一意地去做，才能获得渊博的知识。

哪里有专注，哪里才会有思考和记忆。专注是认知和智力活动的门户。没有专注，我们可能一事无成。有位专家说：注意力是学习的窗口，没有它，知识的阳光就照射不进来。功课学不好，可能与注意力不稳定、不集中以及分配不合理有关。所以，即使你天资平平，只要你专心一意，你仍然能够笨鸟先飞，记住：成功属于每一个专注的人！

融化内心的框限，铺就广阔的生命格局

有一个孩子，小学六年级毕业考试时得了第一名，老师奖给他一本世界地图。他很高兴，跑回家就开始看这本世界地图。很不幸，那天轮到他为家人烧洗澡水。他就一边烧水，一边在灶边看地图。他看到一张埃及地图，想到埃及，有金字塔、有埃及艳后、有尼罗河、有法老王、有很多神秘的东西，心想长大以后如果有机会一定要去埃及。

看得入神的时候，突然有一个大人从浴室里冲了出来，用很大的声音对他说："你在干什么？"他抬头一看，原来是爸爸。他说："我在看地图！"脾气暴躁的爸爸跑过来给了他两个耳光，然后说：

"赶快生火！看什么埃及地图！"见孩子没有动，爸爸又踢他屁股一脚，把他踢到了火炉旁边，严肃地说："我保证！你这辈子绝不可能到那么遥远的地方！赶快生火！"

他当时看着爸爸，呆住了，心想："爸爸怎么给我这么奇怪的保证，真的吗？我这一生真的不可能去埃及吗？" 20年后，那位老父亲收到一张来自埃及的明信片，上面熟悉的字体写着："亲爱的爸爸：我现在在埃及的金字塔前给您写信，记得小时候，你打我两个耳光，踢我一脚，保证我不能到这么远的地方来。但是我现在做到了……"

任何人的人生都不能被保证，哪怕是自己最信赖的人。而我们自己的内心，更不能限制自己的人生。只要你不画地为牢，就永远有欣赏不完的风景。当今世界是一个多元化的、开放的世界，它接纳每一个想要获得成功的人。但是总有一些人与这个时代格格不入，他们把自己封闭在自己的心中，让自己困在过去的经历中，暗自伤神，岂不知，在这样的过程中已经把成功的机会拱手让人了。

自我封闭的人不懂得，过去并不代表未来，无论你曾经失败过多少次，受过多少挫折，这些都不重要，重要的是，你要对未来充满希望。无论你过去怎样，只要你融化自己内心的框限，调整心态，明确自己的目标，乐观积极地行动起来，就能够扭转劣势，更好地成长。

奥普拉·温弗莉，黑人，女性，体重90公斤，出身贫民区；父母是一对未婚的年轻人，母亲生下她的时候，还是一个孩子。寄宿在亲戚家的她被虐待，甚至留下了一生的伤痛。十几岁的她曾把家里弄得乱七八糟，假装被打劫的样子，偷走了母亲的钱包。她和伙伴们鬼混，抽烟、吸毒、喝酒，越陷越深，她的青春犹如在肮脏的大染缸里浸泡，母亲甚至想将她送进少管所。

直到 14 岁，奥普拉才第一次看见父亲。她一直以为自己已经没有希望了，当时也没有人愿意正眼看她。她很幸运，因为父亲几乎是唯一个没有放弃她的人。她在新的环境中改头换面了，参加了学校的戏剧俱乐部，并常在朗诵比赛中获奖。在费城举行的有 1 万名会员参加的校园俱乐部演讲比赛中，温弗莉凭借一篇短小精悍的演讲，赢得了 1000 美元的奖学金。

在大学里，温弗莉有机会踏进所有电视人梦想的哥伦比亚广播公司的大门，但是她开创的充满感情的新闻表述方式，与传统主持人刻板庄严的风格迥异。好在虽然这种风格没有被接受，却为她赢得了另一家电视台的特别关注。不过，这家电视台希望她去纽约接受整容手术，但温弗莉的底子太差，美容师端详了半天后望而却步，整容也就不了了之了。

其实，不仅是外貌上的原因，当时美国的主持界鲜有女性，甚至有人说"女人的声音听起来缺乏可信度"。但是温弗莉证明了这是谬论：她主持《人们在说话》脱口秀，收视率一路飙升，超过了当年脱口秀有名的节目。她另外主持的《芝加哥早晨》栏目，从一个下三流的脱口秀一跃而起，变成收视率第一的金牌栏目。后来，《芝加哥早晨》更名为《奥普拉·温弗莉脱口秀》，在全国 120 个城市同步播出。

如今的奥普拉已经是美国舆论界呼风唤雨的人物，年届五十的她还去尝试拍电影，推荐优秀的黑人编剧，她的路似乎才刚开始。

从一个标准的黑人小混混，到优秀的毕业生，再到著名的节目主持人，奥普拉·温弗莉突破了一个又一个自己。她也曾经觉得自己没有任何希望了，然而，只要她去尝试，不断努力，就能成功。其实，很多人都输在了自我设限上。绝大多数人都会以过去的自己来判断未来的自己。但未来的自己完全可以成为另一种样子。

所以，如果你及时摆脱自身"心理高度"的限制，打开制约成功的"盖子"，那么你的发展空间和成功率将会大为增加。

心理高度决定一个人的人生高度。一个人若想突破人生的"瓶颈"，有所作为，首先就要突破心理的"瓶颈"，不能因为过去的一些失败而降低自己的标准，为自己的人生过早地盖上一个"盖子"。在这个开放的时代，我们要融化内心的框限，在人生的大舞台上布开更大的格局。

拉高生命视点，扩大人生格局

一个乞丐站在路旁，身边放了几个橘子，一名商人路过，向乞丐面前的纸盒里投入几枚硬币后，就匆匆忙忙地赶路了。过了一会儿，商人回来取走了乞丐身旁的橘子并说："对不起，我忘了拿橘子，你我毕竟都是商人。"

几年后，这位商人参加一次高级酒会，遇见了一位衣冠楚楚的先生向他敬酒致谢，并告知：他就是当初卖橘子的乞丐，而他生活的改变，完全得益于商人的那句话——"你我都是商人"。

如果乞丐没有遇见商人，永远将自己的人生定位于乞丐的高度，那么他永远也不会走进一个商人的世界，因为他永远无法做到用一个商人的视角看世界。一个人怎样给自己定位，将决定其一生格局的大小，因此，一个人要想改变自己的命运，应先改变自己的定位，给自己一个新的高度，扩大自己的视角。视角变大，我们就有了新的角度来体察生命风景的可能。"横看成岭侧成峰，远近高低各不同。"如果换个视角看风景，风景便有不一样的风采；换个角度看人生，人生也会有不同的发现。也许心的体积很小，但世界却很大；换一个视角，观念的格局可以变得和世界一样无限广阔。

　　1941 年，美国洛杉矶。

　　深夜，在一间宽敞的摄影棚内，一群人正在忙着拍摄一部电影。

　　"停！"刚开拍几分钟，年轻的导演就大喊起来，一边做动作一边对着摄影师大声说："我要的是一个大仰角，大仰角，明白吗？"

　　又是大仰角！这个镜头已经反复拍摄了十几次，演员、录音师……所有的工作人员都已累得筋疲力尽，可是这位年轻的导演总是不满意，一次次地大声喊"停"，一遍遍地向着摄影师大叫"大仰角"！

　　此时，扛着摄影机趴在地板上的摄影师再也无法忍受这个初出茅庐的小伙子，站起来大声吼道："我趴得已经够低了，你难道不明白吗！"

　　周围的工作人员都停下了手中的工作，有些幸灾乐祸地看着他们。年轻的导演镇定地盯着摄影师，一句话也没有说。突然，他转身走到道具旁，捡起一把斧子，向着摄影师快步走了过去。

　　人们不知道这位年轻的导演会做怎样的蠢事。在周围人的惊呼声中，只见年轻的导演抢起斧子，向着摄影师刚才趴过的木制地板猛烈地砍去，一下、两下、三下……他把地板砸出一个窟窿。

导演让摄影师站到洞中，平静地对他说："这就是我要的角度。"就这样，摄影师蹲在洞中，压低镜头，拍出了一个前所未有的大仰角，一个从未有人拍出的镜头。

这位年轻的导演名叫奥逊·威尔斯，这部电影是《公民凯恩》。电影因大仰拍、大景深、阴影逆光等摄影创新技术及新颖的叙事方式，被誉为美国有史以来最伟大的电影之一，至今仍是美国电影学院必备的教学影片。

拍电影便是这样，大仰角、深镜头可以把握场景的全貌，给观众留下多层次的视觉体验，而对待人生又何尝不是如此。如果我们的人生视角很低、很小，你怎么能看到艰难后面的希望和快乐呢？人生的格局也许难以改变，但怎么看却由你来决定。

提升自我的高度，改变生命的视角，你就拥有了一套崭新的人生观念，就能拥有一个不一样的人生。一个人的视角若只局限在眼前，就容易变得短视，就常会为小事纠结。可是一旦放宽视野，就会惊叹于世界之大。每个人都是一个广阔的世界，世界的容积是有限的，心的格局却无限广阔。

不论是自我高度还是生命视角，这一切都是我们把握人生的尺度。观察人生的图景，重要的是怎么去看待周围的世界和认识你自己，不同的方式、不同的态度会带来不同的结果，就好像看山一样，用不同的角度观察，会有别样的精彩。

你也许创意十足，聪明睿智、才华横溢、屡有洞见，也许你好运连连，但如果你无法在创造过程中给自己正确定位，不知道自己的方向是什么，一切都会徒劳无功。因为一个人的世界有多大，取决于他视野的大小，视角越大，生命格局越大，获得成功的机会也就越大，志在顶峰的人不会落在平地，甘心做奴隶的人永远也不会成为主人。拉高我们的视点，我们才能有一个广阔的格局。

不顾大局，就会"出局"

大局意识，就是以整体利益为重，凡事从大局出发，在事关大局和自身利益的问题上，能以宽广的眼界审时度势，以长远的眼光权衡利弊得失，自觉做到局部服从整体，自我服从全局，眼前服从长远，立足本职，甘于奉献。

说到顾全大局，我们会不由自主地想到历史上"以大局为重，不计小嫌"的代表人物——蔺相如。

负荆请罪的故事，说的是赵国的蔺相如几次奉命出使秦国，立下显赫功劳，深得赵王的赏识与重用，被封为上卿，位居老将军廉颇之上。廉颇居功自傲，对此不服，屡次故意挑衅，蔺相如以国家大事为重，始终忍让。后来，廉颇终于醒悟，向蔺相如负荆请罪。将相和好，团结一致，共同辅国，建立了生死不渝的友情。当时一些诸侯国听说这件事之后，都不敢侵犯赵国。

蔺相如不计较个人荣辱得失，以国家利益为重的博大胸襟和廉颇知错就改的坦诚胸怀，都在启发我们，在任何时候都要顾全大局，把国家、民族利益放在第一位。不难想象，假如当时蔺相如和廉颇"内战"，那么就会"祸起萧墙"，赵国会受到周边诸侯国的夹攻，到时国将不国，又哪来家的安宁呢？

拨开重重的历史烟云，我们似乎可以看见大禹治水，三过家门而不入，终将水患"治服"；孔丘周游列国，推行仁政；三闾大夫行吟泽畔，问天叩地，投身汨罗；文天祥的"人生自古谁无死，留取丹心照汗青"；方志敏不为高官厚禄所动，含笑上刑场……这些人不为名、不为利，只为了心中的大局。他们是国家的脊梁，他们的精神是中国急需的钙质。鲁迅说得好："我们自古以来，就有埋头苦干的人，有拼命硬干的人，有舍身求法的人……"我们需要的就是更多舍身求法的人。

　　古代如此，今天也一样，凡事顾全大局仍然是为人处世的重要品质，是应该大力弘扬的传统美德。以大局为重，不计小嫌是一种难得的风度。有这种风度的人，心胸宽广，不记私怨，不但能赢得人们的尊敬和拥护，往往也能干出一番大事业。而那些斤斤计较、小肚鸡肠、睚眦必报的人，必定不会受人欢迎，甚至会为人所不齿，也就很难有所作为。

　　生活中，我们可以发现，很多优秀的人才，因为性格中的某些缺陷，在做事的过程中，不能从大局出发而目光短浅，不能把握长期效益而损公肥私，从而铸成大错，造成严重的损失，甚至一失足成千古恨。当今社会，从来不缺乏人才，但人们也不难发现，那些成就突出却自命不凡的人在生活中屡屡碰壁，那些精明能干而过于计较得失的人不为朋友所接纳。为什么这样"有才华"的人在社会中不被接纳和重用呢？因为在领导者的眼里，全局高于一切，一个自私自利的人，一个只为自己或少数人利益着想的人，一个心中只有"我"而无"我们"的人，是永远得不到领导者的重视的。不顾大局的人，到头来可能会被淘汰出局。

　　真正优秀的人，他们不会急功近利，而是把个体远大的发展目标建立在大局发展的基础之上，时刻以公司整体利益为重，把公司放在第一位。具备这样统观全局、服务大局优良素质的人，在赢得领导信任的同时，更能为自己的职业生涯带来莫大的好处。

我们想成功，就要有宽广的胸怀，有长远的眼光，从大局出发，不拘泥于眼前的枝节小事，以大局作为判断的标准。这才是人生应有的格局。

格局一撑开，好运自然来

杨佳出生于 1963 年，29 岁之前，她一直过得很顺利。她 15 岁就考上郑州大学英语系，19 岁开始教授大学二年级的英语精读课，23 岁从中科院研究生院毕业后留院任教。但天有不测风云，1992 年，正值人生最璀璨阶段的她，却患上了一种叫作"黄斑变性"的眼疾。原本五彩斑斓的世界在她的眼前，由雾蒙蒙到白花花，直到完全黑暗。然而爱学习的杨佳并没有放弃，她用超乎常人的毅力开始学习盲文。

患病后，她随身携带一个袖珍型的小录音机，比如记个电话号码，就用录音机录下来。失明之后，她依然能写出漂亮的板书，她贴在黑板上的左手是在悄悄估计字的大小，好配合写字的右手。为了这几行板书，她不知在家里练了多少遍，在房门上、在硬纸板上，让自己慢慢感觉以往所忽略的身体律动，来协调左右手之间的搭配。语音教室里，平面操作台上的各种按钮也被她贴上了一小块一小块的胶布，作为记号。

在中科院外语部教学品质评量表中，博士生们为她打了 98 分。

在毕业班的毕业留言簿上，学生们深情地写道："杨老师，我们无法用恰当的言辞来形容您的风采，您的内涵如此丰富，您的授课如此生动，除了获取知识外，我们还获得了不少乐趣和做人的道理……"

杨佳说："我从没觉得自己与其他人有什么不同，站到讲台上我就是个老师，我和其他老师一样，学生要学东西，我把自己所知道的教给他们。"

杨佳以坚韧不拔的精神和在工作上的出色成绩，先后被评为中科院"十佳"和2000年度的第四届北京"十大杰出青年"。

她说："每个人的路都是不一样的，但都应该有一种强烈的生存欲望，不管遇到多大的坎坷都应该坚强地走下去。人生虽然会碰到很多困难，甚至可能陷入绝望的境地，但是，最困惑时往往最能领悟人生的真谛。而当你走出某一段经历后再回头看，也许人生最美好的东西就随之而来了。"

杨佳的命运可谓是经历了大起大伏，但无论是得意时还是失意时，她都把握住了自己的命运。失明没有迫使她离开自己热爱的讲台，相反，她还奇迹般地获得了一次又一次的成功。

风华正茂，学业、事业春风得意，却被宣告从此失去斑斓多彩的世界。如果换作常人，这无疑就是人生的灭顶之灾，从此会自怨自艾、绝望沉沦。但杨佳没有放弃自己，她乐观坦然，勇敢地面对厄运，并继续挑战自己热爱的教育事业。正是因为她胸怀这样的大格局，所以她才能在讲台上创造奇迹，成为杰出青年，并赢得人们的敬仰。

我们每个人都有一种格局，也就是一个目标、一种气势、一种性格、一种胸襟、一种信念、一种坚持。格局并不是先天带来，而是后天形成的。大格局的人拥有一种境界，能够以坚韧的毅力冲破看似难以逾越的险阻；大格局的人拥有一种高度，身在最高层而不畏浮云遮望眼；大格局的人拥有一种韧劲，咬定青山不放松，坚持到底。

有这么一句耐人寻味的话：大事难事，看担当；逆境顺境，看襟度；临喜临怒，看涵养；患得患失，看智慧；做大做小，看格局；可快可慢，看领悟；是成是败，看坚持！

意思是，面对大事和难事的时候，可以看出一个人担当责任的能力；在处于顺境或逆境的时候，可以看出一个人的胸襟和气度；碰到喜怒之事的时候，可以看出一个人的涵养；收获或者损失，可以看出一个人的智慧；事情做大还是做小，可以看出一个人的格局；学东西快还是慢，可以看出一个人的领悟能力；做事成功还是失败，可以看出一个人的毅力与韧性。有人面对需要担当起责任的大事或遇到重大挫折的时候，总是采取推卸责任或逃避的态度，如此怯懦，如何承担生命重托？格局大的人，总能挺起脊梁勇敢地面对一切。这样的人，拥有高深的修养和品性，拥有博大的胸怀和气度，不管是顺境还是逆境，总会有"任凭风吹浪打，胜似闲庭信步"的宠辱不惊和淡定自若；这样的人，总是比一个小格局的人的运气好得多，他的人生篇章也注定精彩绝伦。

不要盲目地羡慕别人的好运气，而要看到他们成功背后的大格局。如果人生格局足够大，即使条件再艰难，环境再诡异多变，你一样能好运连连！

第四章

精进有终，必有所成

积极进取，创造卓越人生

佛家的精进要求，做人要像水一样奔腾不息，不断前进，才能成功地到达大海。同样的道理，人的思想、观念，都要不断地进步。满足于今日的成就，即是落伍。

海明威在《老人与海》里写道："人不是生来就要给打败的。他可以被摧毁，但不能被打败！"是的，他不能被打败，因为他还有进取心。

的确，不仅是人，世间万物都是因为进取才共同创造了欣欣向荣的美好世界。小溪因为进取才能体验到百川归海的气势；雄鹰因为进取，才能感受到搏击长空的壮美；蛹因为进取，才会脱壳而出，化成翩翩飞舞的蝴蝶；候鸟因为进取，才有飞越太平洋的毅力，最终拥有一个幸福的家庭……

由此可见，进取心犹如罐子里的火药，随着罐中火药数量的增加，它离引爆点也越来越近，最终将以一次巨大的爆炸释放自身的能量。生命也在这次能量的爆炸中得以提炼和升华。

在人生路上，我们要时刻看着脚下的路，积极进取，一步一步不断前行，才能得到更好的发展。

吴士宏从一个"毫无生气，甚至满足不了温饱的护士职业"（吴士宏语），先后当上 IBM 华南区的总经理，微软中国总经理，TCL 集团常务董事、副总裁，靠的就是这种不自满、不断超越自己的进取精神。

外表温文、满脸带笑的吴士宏曾经是北京一家医院的普通护士。用吴士宏自己的话说，那时的她除了自卑地活着，一无所有。据她回忆，1985 年，她为了离开原来毫无生气，甚至满足不了温饱的护士职业，凭着一台收音机，花了一年半时间学完了许国璋英语三年的课程。正好此时 IBM 公司招聘员工，于是她通过外企服务公司准备去应聘。在此前外企服务公司向 IBM 推荐过好多人都没有被聘用。吴士宏虽然没有高学历，也没有外企工作的资历，但她有一个信念，那就是"绝不允许别人把我拦在任何门外"。

于是，吴士宏来到五星级标准的长城饭店，鼓足勇气，走进了世界最大的信息产业公司 IBM 公司的北京办事处。

IBM 公司的面试十分严格，但吴士宏都顺利通过了筛选。到了面试即将结束的时候，主考官问她会不会打字，她条件反射地说："会！"

"那么你一分钟能打多少？"

"您的要求是多少？"

主考官说了一个标准，吴士宏马上承诺说可以。因为她环视四周，发现考场里没有一台打字机。果然，主考官说下次录取时再加试打字。

实际上，吴士宏从未摸过打字机。面试结束，吴士宏飞也似的跑回去，向亲友借来170元买了一台打字机，没日没夜地敲打了一个星期，双手疲乏得连吃饭都拿不住筷子，竟奇迹般地敲出了专业打字员的水平。以后好几个月她才还清了这笔对她来说不小的债务，而IBM公司却一直没有考她的打字功夫。

吴士宏就这样成了这家世界著名企业的一名普通员工。

靠着这种不断超越自我的意识，吴士宏顺利地迈入了IBM公司的大门。进入IBM公司的吴士宏不甘心只做一名普通的员工，因此，她每天比别人多花6个小时用于工作和学习。于是，在同一期聘用者中，吴士宏第一个做了业务代表。接着，同样的付出又使她成为第一批本土的经理，然后又成为第一批去美国本部作战略研究的人。最后，吴士宏又第一个成为IBM华南区的总经理。这就是多付出的回报。

1998年2月18日,吴士宏被任命为微软(中国)有限公司总经理，全权负责包括香港在内的微软中国区业务。据说为争取她加盟微软，国际"猎头公司"和微软公司做了长达半年之久的艰苦努力。吴士宏在微软仅仅用7个月的时间就完成了全年销售额的130%。

在中国信息产业界，吴士宏创下了几项第一：她是第一个成为跨国信息产业公司中国区总经理的内地人；她是唯一一个在如此高位上的女性；她是唯一一个只有初中文凭和成人高考英语大专文凭的总经理。在中国经理人中，吴士宏被尊为"打工皇后"。

从一名普通的护士到一名跨国公司的总经理，再到 TCL 公司的副总裁——事实上，这就是超越。

也许，进取的人生不等于成功的人生。但是，成功的人生一定是进取的人生。

同样的时间和生命，有的人用它来书写辉煌；有的人却碌碌无为，任年华如流水般逝去，只留下庸碌和遗憾。世界"创价学会"的会长池田大作先生说过："平庸的生活使人感到一生不幸，只有波澜万丈的人生才能让人感到生存的意义。"一个人应当积极进取，努力开创卓越的人生，而不应当满足于安逸的生活，不思进取，为自己的人生定下平庸的基调。

在整个宇宙中，人类不过是微不足道的浮尘微粒。但我们的意志和进取心却可以冲破肉体的束缚，摆脱本能的恐惧与懦弱，向艰难和失败勇敢地说："不！"

心诚最是可贵

从古至今，一个人想要有所成就，必然少不了恭敬的态度！这种态度源于一颗虔诚的心！无论是在哪个领域、哪些方面，要想获得成功，就要先经历各种各样的挫折。这是一个过程，一个严酷的考验过程。如果没有一颗虔诚的心，便很难忍受其中的痛苦，便很难获取成功。

有个盲人选择以"种花"作为他一生的职业，因为他的父亲是位相当有名的花匠，他想向父亲看齐。不知情的人认为他很可怜，以为这是"子承父业"，盲花匠别无选择。殊不知，这是盲花匠自己的志向。

　　当然，这对他来说，的确是件非常残忍的事，因为身为一个盲者，他根本看不见花的模样。于是，每当人们告诉他"这些花真美丽"，花匠就会用手仔细地触摸，因为他要感觉花的美丽，由指尖传送到他的心里，真真切切地体会花朵美丽的意义。

　　当人们告诉他"这朵花真香"，他便会俯下身子，用鼻子小心翼翼地闻着，认真嗅出每一种花的芳香。

　　几十年过去了，盲花匠一直把花当成亲友般细心照料。无论是玫瑰、牡丹、百合，还是各种名贵的花种，在盲花匠的培育下，都生长得娇艳无比，令其他的花匠羡慕不已。

　　成功需要时间，更需要一颗能够认真付出的虔诚之心，任何局限或阻碍都不是失败的借口，因为不管什么困难都一定能克服。就像盲花匠种花那样，即使看不见，他仍然可以凭借其他感官感受花朵的美丽，依然可以栽培出娇艳无比的花朵。

　　轻而易举就得到的，如同划过湖面的一粒石子，倏忽来去，很快便消失不见；虔诚所收获的，珍贵若陈年的老酒、岁月的记忆，始终占据心灵的一角。我们渴望成功，但要知道，真正的成功是在虔诚的心灵指引下取得的成功，这样的成功才是深沉而有价值的。

持之以恒，登峰造极

古希腊大哲学家苏格拉底思想深邃，思维敏捷，关爱众生又为人谦和。许多青年慕名前来向他学习，听从他的教导，都期望成为像老师那样有智慧的人。他们中很多人天赋极高，天资聪颖。大家都希望自己能脱颖而出，成为苏格拉底的继承者。一次，苏格拉底对学生说："今天我们只学一件最简单也是最容易的事，每个人都把胳膊尽量往前甩，然后再尽量往后甩。"苏格拉底示范了一遍，说："从今天起，每天做300下，大家能做到吗？"学生们都笑了，这么简单的事有什么做不到的？

第二天，苏格拉底问学生："谁昨天甩胳膊300下？做到的人请举手！"几十名学生的手都哗哗地举了起来，一个不落。苏格拉底点点头。一周后，苏格拉底如前所问，学生都举手了。一个月后，苏格拉底问学生："哪些同学坚持了？"有九成的学生骄傲地举起了手。

一年后，苏格拉底再一次问大家："请告诉我，最简单的甩手动作还有哪几位同学坚持了？"这时，整个教室里，只有一个学生举起了手，这个学生就是古希腊另一位伟大的哲学家柏拉图。他继承了苏格拉底的思想并创建了自己的哲学体系，培养出了堪称"西方孔子"的大哲学家亚里士多德。

与"每天甩手300下"一样，学习有时候看似简单，其实际的意义并不在于事情本身，而在于做这件事情的过程对人的意志的修炼。一如既往地做好简单的事情，是坚持，是积累，时间长了，便会内化成人的一种韧性。

柏拉图成为伟大的哲学家绝不是每天坚持甩手300下的结果，而是在于他在无人监督与无人苛责之下，没有随波逐流，承诺有信、坚持到底。

坚持是最容易的，因为每个人都可以做到；坚持又是最困难的，毕竟没有几个人能够坚持下来。

世间的道理大多相同，一个人要想获得成功，千万不能心存侥幸，只有通过实实在在的努力，持之以恒，才可能在一瞬间实现人生的飞跃，获得人生的辉煌。

勤能补拙，笨鸟先飞早入林

世界上的雄辩家，有很多都是最初被认为说话笨拙的人，狄里斯就是其中一个。

狄里斯生于公元382年，在西欧被称为"历史性的雄辩家"。据说，他的声音很低，而呼吸很短促，口齿不清，旁人经常听不懂他在说些什么。

不过，他的知识非常渊博，因此他的想法也相当深奥，很擅长分析事理，几乎无人能出其右。

当时，在狄里斯的祖国首都雅典，存在很严重的政治纷争，因此，能言善辩的人格外受到重视，一向能引领时代潮流和趋势的狄里斯，认为自己缺乏说话技巧是很不合时宜的。于是他做了一番充分的考虑，并且准备好演讲的内容，从容走上了演讲台。

但是，很不幸的，他遭到了失败。原因就在于他的低音和呼吸短促，口齿不清，以至于别人无法听清楚他所说的话。但是，狄里斯并不灰心，他反而比过去更努力，训练自己的胆量和意志力。

他每天都跑到海边去，对着拍打岩石的浪花大声喊叫，回家以后，又对着镜子看自己说话时的嘴形，做发音练习，一直持续不辍。狄里斯就这样努力了好几年，直到他27岁时，终于再度走上台向众人演讲。

辛苦的努力总算有了成果。他这次演讲得到了许多的喝彩与掌声，而狄里斯的名气，也就这样打响了。

谁不梦想着成功、荣誉，但是让人遗憾的是总有元帅与士兵的区别。拿破仑说："不想当元帅的士兵，不是好士兵。"但是如何才能当上元帅呢？任何一位功成名就的人都知道，勤奋是通往荣耀之门的必经之路。

一些自诩聪明的人，最后竟然不如"大智若愚"的人所取得的成就。究其原因，小聪明的人是"聪明反被聪明误"，他们仗着自己的"小聪明"，不再努力，于是被那些"不太聪明"的人甩在了身后。也总有一些眼红他人机遇好的人，但别人的机遇果真全是靠走运得来的吗？恐怕未必。有多少辛勤的汗水，就有多少丰硕的果实。

"勤能补拙是良训，一分辛苦一分才。"勤奋可以让我们每个人都获得以前没有的才干，勤奋可以让我们每个人都发现一些真知灼见。一个勤奋的人必定能够战胜困难，取得超越自我的成就。

在哈佛大学法律系的毕业典礼上，一位学生代表发表感言时这么说："我最应当感谢的人是我伟大的母亲。"然后，他讲了下面这个故事。

有一个孩子想不明白自己的同桌为什么每次都能考第一，而自己每次却只能排在同桌的后面。回家后，他问道："妈妈，我是不是比别人笨？我觉得我和他一样听老师的话，一样认真地做作业，可是，为什么我总比他落后？"妈妈听了儿子的话，感觉到儿子开始有自尊心了，而这种自尊心正在被学校的排名伤害着。她望着儿子，没有回答，因为她不知该怎样回答。又一次考试后，孩子考了第20名，而他的同桌还是第一名。回家后，儿子又问了同样的问题。她真想说，人的智力确实有高低之分，考第一的人，脑子就是比一般人的灵。然而这样的回答，难道真是孩子想知道的答案吗？她依然没有回答孩子。

应该怎样回答儿子的问题呢？有几次，她真想重复那几句被无数父母重复了无数次的话——你太贪玩了；你在学习上还不够勤奋；和别人比起来还不够努力……以此来搪塞儿子。然而，像她儿子这样脑袋不够聪明、在班上成绩不甚突出的孩子，平时活得还不够辛苦吗？所以她没有那么做，她想为儿子的问题找到一个完美的答案。

儿子小学毕业了，虽然他比过去更加刻苦，但依然没赶上他的同桌，不过与过去相比，他的成绩一直在提高。为了对儿子的进步表示赞赏，她带他去看了一次大海。就是在这次旅行中，这位母亲回答了儿子的问题。母亲和儿子坐在沙滩上，她指着海面对儿子说："你看那些在海边争食的鸟儿，当海浪打来的时候，小灰雀总能迅速地飞起，它们拍打两三下翅膀就升入了天空；而海鸥总显得非常笨拙，它们从沙滩飞向天空总要很长时间，然而，真正能飞越大海、横过大洋的还是它们。"

这位哈佛学生的故事印证了在哈佛流传的一句名言："只有比别人更早、更勤奋地努力，才能尝到成功的滋味。"

勤奋的道理每一个人都懂，却不是每一个人都能做到的，而那些真正能做到的人，就能获得成功。

天下没有免费的午餐。个人奋发向上的辛勤实干是取得杰出成就必须付出的代价，好逸恶劳的懒惰品行与任何杰出成就都无缘，正是辛勤的双手和大脑使得人们富裕起来。事实上，任何事业的成功都只能通过辛勤的实干取得。没有辛勤的汗水，就不会有成功的喜悦与幸福。

真正的幸福绝不会光顾精神萎靡、四体不勤的人，幸福只在辛勤的劳动和晶莹的汗水中。只要你够勤奋，笨鸟也能先入林！

一勤天下无难事

曾有人问李嘉诚成功的秘诀。李嘉诚讲了一则故事：

日本"推销之神"原一平在 69 岁时的一次演讲会上，当有人问他推销的秘诀时，他当场脱掉鞋袜，将提问者请上讲台，说："请你摸摸我的脚板。"

提问者摸了摸，十分惊讶地说："您脚底的老茧好厚呀！"

原一平说："因为我走的路比别人多，跑得比别人勤。"

提问者略一沉思，顿然醒悟。

李嘉诚讲完故事后，微笑着说："我没有资格让你来摸我的脚板，但可以告诉你，我脚底的老茧也很厚。"

李嘉诚的故事给我们这样的启示：人生中任何一种成功的获取，都始之于勤并且成之于勤。勤奋是成功的根本，既是基础，也是秘诀。没有勤奋，任何一项成功都不可能唾手可得。

一位成功人士曾经说过："我不知道有谁能够不经过勤奋工作而获得成功。"寓言中守株待兔的人，曾经不费吹灰之力就得到一只兔子，但此后他就再也没有得到半只兔子。所以，不要指望不劳而获的成功，只有勤奋得到的成功才能持久。

一勤天下无难事，人们在年轻时，就培养成"勤勉努力"的习性，并且在工作中永远不减勤勉且更加努力，那么这种无形的财产和力量将会成为你终生受用的法宝。

华人传奇人物王永庆，15岁小学毕业后被迫辍学，在中国台湾南部一家米店当小工。除了完成送米工作外，他悄悄观察老板怎样经营，学习做生意的本领。因为他总想：假如我也能有一家米店……

第二年，王永庆请父亲帮他借了200元台币，以此做本钱，在自己家乡嘉义开了家小米店。开始经营时困难重重，因为附近的居民都有固定供应米的米店。王永庆只好一家家登门送货，好不容易才争取到几家住户同意用他的米。他知道，如果服务质量比不上别人，自己的米店就要关门。于是，他特别在"勤"字上下功夫，甚至于趴在地上把米中的杂物一粒粒拣干净。

为了多争取一个用户，他宁愿深夜冒雨把米送到用户家中。他的服务态度很快赢得了众多用户，业务逐渐开展起来了。

不久，王永庆又开设了一个小碾米厂。由于他处处留心，经营水平日渐高超，再加上他勤快能干，每天工作十六七个小时，克勤克俭，业务范围逐渐拓宽。此后，又开办了一家制砖厂。

王永庆成功的原因之一，就是他懂得"一勤天下无难事"的道理。王永庆有一次在美国华盛顿企业学院演讲时，谈到了他一生的坎坷经历。他说："先天环境的好坏，并不十分重要，成功的关键完全在于一己之努力。"

勤奋刻苦是一所高贵的学校，所有想有所成就的人都必须进入其中，在那里可以学到有用的知识，培养独立的精神和坚忍不拔的习惯。其实，勤劳本身就是财富，如果你是一个勤劳、肯干、刻苦的员工，就能像蜜蜂一样，采的花越多，酿的蜜也越多，你享受到的甜美也越多。

所有伟大人物尽管各自成功道路不尽相同，但他们无一不是用勤奋去探测自己灵魂的最深层，在开启生命最强的能量之后，能让这种能量不断升级，从而让潜能发挥到极致。美国著名作家杰克·伦敦在 19 岁以前，还从来没有进过中学，但他非常勤奋，通过不懈的努力，充分发挥了自己的潜能，从一个小混混成为一个文学巨匠。

杰克·伦敦的童年生活充满了贫困与艰难，他整天像发了疯一样跟着一群恶棍在旧金山海湾附近游荡。说起学校，他不屑一顾，他把大部分的时间都花在偷盗等勾当上。不过有一天，他漫不经心地走进一家公共图书馆内，读起名著《鲁宾孙漂流记》时，他看得如痴如醉，并受到了深深的震动。在看这本书时，饥肠辘辘的他竟然舍不得中途停下来回家吃饭。第二天，他又跑到图书馆去看别的书，另一个新的世界展现在他的面前——一个如同《天方夜谭》中巴格达一样奇异美妙的世界。从这以后，一种酷爱读书的情绪便不可抑制地左右了他。一天中，他读书的时间达到了 10 ～ 15 小时，从荷马到莎士比亚，从赫伯特斯宾基到马克思等人的所有著作，他都如饥似渴地读着。

19岁时，他决定停止以前靠体力劳动吃饭的生涯，改成以脑力谋生。他厌倦了流浪的生活，他不愿再挨警察无情的拳头，他也不甘心让铁路的工头用灯按自己的脑袋。于是，就在19岁时，他进入了加利福尼亚州的奥克德中学。

他不分昼夜地用功，从来就没有好好地睡过一觉。天道酬勤，他也因此有了显著的进步，只用了3个月的时间就把4年的课程念完，通过考试后，他进入了加州大学。他渴望成为一名伟大的作家。在这一雄心的驱使下，他一遍又一遍地读《金银岛》《双城记》等书，之后就拼命地写作。

他每天写5000字，也就是说，他可以用20天的时间完成一部长篇小说。他有时会一口气给编辑们寄出30篇小说，但它们统统被退了回来。后来，他写了一篇名为《海岸外的飓风》的小说，这篇小说获得了《旧金山呼声》杂志所举办的征文比赛头奖，但他只得到了20美元的稿费。到1903年，他有6部长篇以及125篇短篇小说问世。他成了美国文艺界最为知名的人物之一。

杰克·伦敦的经历一点都不令人惊讶，一个人的成就和他的勤奋程度永远成正比。试想，如果杰克·伦敦不是那么勤奋，写作不是那样废寝忘食，他绝对不会取得日后的成就。辛勤劳动是生存的需要，也是生命意义所在。勤奋的人充实、自信，能时常感到"幸福的疲倦"。勤奋是到达卓越的阶梯，是让强势的潜能升向终极的秘诀。勤奋是一种态度，是人生创意的本质所在。奋斗不息才能让我们的大脑血脉畅通不止。

比他人多坚持一分钟

有一位熨衣服的工人住在拖车房屋中，周薪只有60元。他的妻子上夜班。虽然夫妻俩都在工作，但赚到的钱也只能勉强糊口。他们的婴儿耳朵发炎，他们只好连电话也拆掉，省下钱去买抗生素治病。

这位工人希望成为作家，夜间和周末都不停地写作，打字机的噼啪声不绝于耳。他的余钱全部用来付邮费，寄原稿给出版商和经纪人。

他的作品全被退回了。退稿信很简短，非常公式化，他甚至不敢确定出版商和经纪人究竟看没看过他的作品。

一天，他读到一部小说，令他记起了自己的某部作品，他把作品的原稿寄给那部小说的出版商，出版商把原稿交给了皮尔·汤姆森。

几个星期后，他收到汤姆森的一封热诚亲切的回信，说原稿的毛病太多。不过汤姆森的确相信他有成为作家的希望，并鼓励他再试试看。

在此后的18个月里，他又给编辑寄去两份原稿，但都被退回了。他开始试着写第四部小说，不过由于生活逼迫，经济上捉襟见肘，他开始放弃希望。

一天夜里，他把原稿扔进垃圾桶。第二天，他妻子把它捡回来。"你不应该半途而废，"她告诉他，"特别是在你快要成功的时候。"

他瞪着那些稿纸发愣。也许他已不再相信自己，但妻子却相信他会成功，一位他从未见过面的纽约编辑也相信他会成功，因此，每天他都坚持写1500字。

写完了以后，他把小说寄给汤姆森，不过他以为这次仍然会失败。可是他错了，汤姆森的出版公司预付了2500美元给他。

这个人就是史蒂芬·金，史蒂芬·金的经典恐怖小说《嘉莉》也就这样诞生了。这本小说后来销了500万册，还被摄制成电影，成为1976年最卖座的电影之一。

没有人能一步登天，遇到困难的时候不要轻言放弃。成功的路上从来都是布满荆棘的，谁能坚持到困难向他屈服的时候，谁就将是成功者。三分钟热度无法成就你的梦想，只有坚持勤奋，才能成功。

用勤奋战胜懒惰

在远古的时候，有两个朋友，相伴去遥远的地方寻找人生的幸福和快乐。一路上风餐露宿，在即将到达目的地的时候，他们遇到了一条风急浪高的大河，而河的彼岸就是幸福和快乐的天堂。关于如何渡过这条河，两个人产生了不同的意见。一个建议采伐附近的树木造一条木船渡过河去，另一个则认为无论哪种办法都不可能渡得了这条河，与其自寻烦恼和死路，不如等这条河流干了，再轻轻松松地走过去。

于是，建议造船的人每天砍伐树木，辛苦而积极地制造船只，并学习游泳；而另一个则每天躺下休息睡觉，然后到河边观察河水干了没有。直到有一天，已经造好船的人准备扬帆渡河的时候，另一个人还在讥笑他的愚蠢。

不过，造船的人并不生气，临走前只对他的朋友说了一句话："做每一件事不见得一定都成功，但不去做则一定没有机会得到成功！要想成功，你一定要把懒惰的习惯扔得远远的。"能想到河水流干了再过河，这确实是一个"伟大"的创意，可惜的是，这注定是一个永远失败的"伟大"创意而已。

这条大河终究没有干，而那位造船的人经过一番风浪最终到达了彼岸。这两人后来在这条河的两个岸边定居了下来，也都衍生了各自的子孙后代。渡过河的一边叫幸福和快乐的沃土，生活着一群我们称为勤奋和勇敢的人；等河干的另一边叫失败和失落的原地，生活着一群我们称之为懒惰和懦弱的人。

有一句名言是这样说的：懒惰是活人的坟墓。当懒惰已经成为习惯，它就会像细菌一样，在你的生活中蔓延，使你的人生到处弥漫着懒散的气息。做每一件事不一定见得成功，但如果不去做，就一定不会成功！要想获得成功，就一定要远离懒惰的侵扰。

很多人都有懒惰的坏习惯，怎样才能改掉这个坏毛病呢？

一位哲学家看到自己的几个学生并不是很认真地听他讲课，而且学生们对自己将来要做什么也模糊不清，于是，哲学家打算给学生上一节特殊的课。

一天，哲学家带着自己的学生来到了一片荒芜的田地，田地里早已是杂草丛生。哲学家指着田里的杂草说："如果要除掉田里的杂草，最好的方法是什么呢？"

学生们觉得很惊讶，难道这就是要上的最重要的一堂课吗？学生们于是纷纷提出了自己的意见。

一位学生想了一下，对哲学家说："老师，我有个简便快捷的方法，用火来烧，这样很节省人力。"哲学家听了，点点头。另一个学生站起来说："老师，我们能够用几把镰刀将杂草清除掉。"哲学家也同样微笑地点点头。

第三位学生说："这个很简单，去买点除草的药，喷上就可以了。"

听完学生的意见，哲学家便对他们说道："好吧，就按照你们的方法去做吧。如果你们不能清除掉杂草，那四个月后，我们再回到这个地方看看吧！"

学生们于是将这块田地分成了三块，各自按照自己的方法去除草。

用火烧的，虽然很快就将杂草烧了，可是过了一周，杂草又开始发芽了；用镰刀割的，花了四天的时间，累得腰酸背疼，终于将杂草清除一空，看上去很干净了，可是没过几天，又有新的杂草冒了出来；喷洒农药的，只是除掉了杂草裸露在地面上的部分，根本无法消灭杂草。几个学生失望地离开了。

四个月过去了，哲学家和学生们又来到了自己辛苦工作过的田地。学生们惊讶地发现，曾经杂草丛生的荒芜田地现在已经变成了一块长满水稻的庄稼地。学生们脸上露出了不解的神情。

哲学家微笑着告诉他的学生：要除掉杂草，最好的办法就是在杂草地上种上有用的植物。

同学们会心地笑了起来，这确实是一次不寻常的人生之课。

清除杂草如此，克服懒惰也应该如此。只有勤奋才能彻底战胜懒惰，这是最根本的应对之道。

古罗马人有两座圣殿：一座是勤奋的圣殿，另一座是成功的圣殿。他们在安排座位时有一个秩序，就是必须经过前者，才能达到后者。那些试图绕过勤奋去寻找成功的人，总是被排斥在荣誉的殿堂之外，因为勤奋是通向成功的必经之路。

如果你是一个公认的懒人，那你完全可以借鉴哲学家的建议：用勤奋战胜懒惰。

图书在版编目（CIP）数据

人生三修：修心 修性 修行 / 吉家乐等编著. — 北京：中国华侨出版社，2017.12（2020.4重印）

ISBN 978-7-5113-7292-5

Ⅰ.①人… Ⅱ.①吉… Ⅲ.①个人－修养－通俗读物 Ⅳ.①B825-49

中国版本图书馆CIP数据核字(2017)第309006号

人生三修：修心 修性 修行

编　　著：吉家乐等
责任编辑：墨　林
封面设计：冬　凡
文字编辑：李　波
美术编辑：张　娟
经　　销：新华书店
开　　本：880mm×1230mm　1/32　印张：6　字数：143千字
印　　刷：三河市吉祥印务有限公司
版　　次：2018年1月第1版　2020年4月第3次印刷
书　　号：ISBN 978-7-5113-7292-5
定　　价：30.00元

中国华侨出版社　北京市朝阳区西坝河东里77号楼底商5号　邮编：100028
法律顾问：陈鹰律师事务所
发 行 部：（010）88893001　　　　传　　真：（010）62707370
网　　址：www.oveaschin.com　　E－m a i l：oveaschin@sina.com

如果发现印装质量问题，影响阅读，请与印刷厂联系调换。